Taal totaal

NEDERLANDS VOOR GEVORDERDEN

Nederlandse bewerking

Caroline Kennedie
Marjan Bassie
Edith Schouten

intertaal

Taal totaal tekstboek

door
Sabina van Keulen

concept en redactie
Stephen Fox

met medewerking van
Bernd Morsbach, Maaike van Ras,
Gerd Simons, Veronika Wenzel,
Annemarie Diestelmann, Gert Keen

illustraties
Ofzcarek!, Katja Gehrmann

omslagontwerp
Astrid Hansen, Martin Wittenburg

Nederlandse bewerking
Caroline Kennedie, Marjan Bassie, Edith Schouten (UTN)

met medewerking van
Lidy Zijlmans, Liesbet Korebrits (UTN)

redactie en lay-out
Julia de Vries (redactie Intertaal)

Taal totaal bestaat uit:

Tekstboek	ISBN 90 5451 3322
Werkboek	ISBN 90 5451 3330
Docentenhandleiding	ISBN 90 5451 3349
Cd bij het tekstboek	ISBN 90 5451 3357
Cd bij het werkboek	ISBN 90 5451 3365
Set werkboek + werkboek cd	ISBN 90 5451 3373

ISBN 90 5451 3322

3e druk 2005

Voorwoord

Taal totaal is een leergang Nederlands voor gevorderde anderstaligen. De leergang is bedoeld voor hoger opgeleide (jong) volwassenen. In deze leergang wordt de basiskennis van ***Taal vítaal*** verdiept en uitgebreid.

Taal totaal brengt de vaardigheden van cursisten tot een niveau dat nodig is om te kunnen communiceren over veel voorkomende onderwerpen op het gebied van werk, school, vrije tijd enzovoort. In termen van het *Common European Framework of Reference* van de Raad van Europa: schaal B1 (*'Independent user'*).

Taal totaal bestaat uit een tekstboek, een werkboek, een docentenhandleiding en twee cd's waarop de teksten staan die zijn aangegeven met een

Taal totaal bevat tien lessen waarin steeds een bepaald thema (werk, politiek, maatschappij, ...) centraal staat. Elke les bestaat uit de volgende onderdelen:

Opstap	hierin wordt het thema van de les geïntroduceerd.
Aandacht voor de taal	biedt, veelal aan de hand van een tekst, de leerstof van de les aan.
Een stapje verder	verdiept en oefent de aangeboden leerstof.
Extra	hierin wordt het thema van de les uitgebreid of een aan het hoofdthema gerelateerd subthema aangeboden.
Nederland-anderland	bevat informatieve en verstrooiende leesteksten die aansluiten bij het thema van de les.
Samenvatting	geeft beknopt en overzichtelijk de leerstof van de les weer.

Let op!

Het tekstboek vormt het uitgangspunt voor communicatief onderwijs waarin grammatica een ondergeschikte rol speelt. Het tekstboek biedt dan ook slechts af en toe en heel beknopt (in de vorm van een klein kader) grammaticale ondersteuning. Uitgebreidere uitleg van de grammatica (al dan niet expliciet aangeboden in het tekstboek) is opgenomen in het werkboek.

Binnen de lessen worden de volgende symbolen gebruikt:

geeft aan dat in tweetallen of groepjes wordt gewerkt en/of dat het een spreekoefening betreft.

geeft aan dat de betreffende tekst op cd staat. Het getal naast het symbool is het nummer van de track op de cd.

geeft aan dat het om een luisteroefening gaat. Bij deze oefeningen is het vooral belangrijk dat de vragen worden beantwoord, niet dat alles letterlijk wordt verstaan. Het is goed eerst de vragen te lezen en dan pas de tekst te beluisteren, zodat vooraf bekend is wat het onderwerp van de tekst is. Datzelfde geldt overigens voor leesteksten met vragen.

geeft aan dat hier gelegenheid is om een eigen woordenlijst aan te leggen en/of aan te vullen. De cursisten bepalen zelf welke woorden ze (naast de aangeboden woorden) nog meer willen leren. Ze kunnen daarvoor een woordenboek raadplegen of overleggen met een medecursist of de docent.

geeft aan dat het om een schrijfoefening gaat.

Inhoud

Inhoud

Ken ik jou niet ergens van?

Opstap

1 Kennismaken

a Bedenk situaties waarin je nieuwe mensen leert kennen.

b Wat zou u vragen?

Maak tweetallen. Kies twee situaties waarin je nieuwe mensen leert kennen.
Welke drie vragen zou u stellen aan iemand die u net hebt leren kennen?

➔ *Volgens mij vraag je altijd ...*
Op een feest zou ik vragen of/hoe/waar ...
Ik zou willen weten of/hoe/waar ...

Let op!

Inversie
Op een feestje *zou ik* vragen ...
Indirecte vraag
Ik zou vragen *waar* zij vandaan *komt*.

Aandacht voor de taal

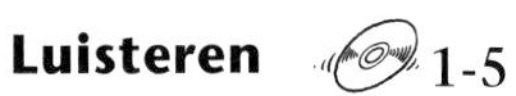

2 Luisteren 1-5

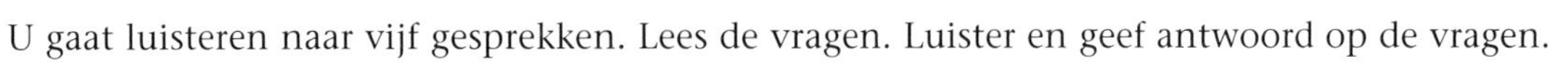

U gaat luisteren naar vijf gesprekken. Lees de vragen. Luister en geef antwoord op de vragen.

a Kennen de gesprekspartners elkaar?

	ja	nee
gesprek 1		
gesprek 2		
gesprek 3		
gesprek 4		
gesprek 5		

b Welk gesprek hoort bij welk groepje?

1e gesprek	3e gesprek	5e gesprek
2e gesprek	4e gesprek	

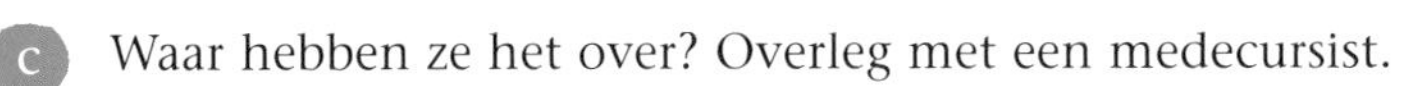

c Waar hebben ze het over? Overleg met een medecursist.

groepje A ....
groepje B ....
groepje C ....
groepje D...
groepje E ....

Les 1

Aandacht voor de taal

3 Wat hoort bij elkaar?

Zoek de woorden en uitdrukkingen die elkaars tegenovergestelde zijn.

achteraf ::: ver weg ::: vaste aanstelling ::: snappen ::: langzamerhand
mislukt ::: een beetje ::: valt heel erg tegen

prima gelukt	ineens
valt best mee	vlakbij
hartstikke	tijdelijk baantje
van tevoren	niet goed begrijpen

4 Orden de zinnen uit de dialogen.

Heerlijk hoor! Dat klopt. Fijn om te horen. Je spreekt perfect Nederlands.

Hé! Ja hoor, komt voor elkaar. Inderdaad. Het is je prima gelukt!

Lekker, zeg! Goh! Oh, wat leuk – ik ook. Dank je, echt? Wat grappig!

een complimentje maken
op een compliment reageren
verrassing tonen
instemmen

5 Een ander onderwerp ... 4

Luister nog een keer naar het vierde gesprek. Welke woordjes gebruikt men om een nieuw gespreksonderwerp aan te snijden? Kent u zelf nog meer manieren om dat te doen?

Een stapje verder

6 Metamorfose

a Kies één van de personen hierboven en bedenk informatie over hem of haar:

- naam
- geboortedatum
- geboorteplaats
- opleiding
- beroep
- gezin
- karaktereigenschappen
- hobby's
- belangrijkste bezigheden
- ...

b Maak tweetallen. Speel de persoon die u hebt gekozen. Maak kennis met elkaar - net als op een feestje. Noteer in het kort informatie over de ander.

c Vertel aan de groep wat u te weten bent gekomen over de ander.

Extra

7 Lezen

Ze Komen!

door Wim de Bie

◇ Hebben we wat voor bij de koffie? Likeurtje of zo? Weten we überhaupt wat ze drinken?
◆ Of drinken ze helemaal niet? In elk geval: willen ze wat, dan hebben we dat.
5 ◇ Mooi. O ja, de jassen. Laten we de kapstok wat leger maken, onze jassen naar de slaapkamer brengen. Kunnen ze hun jassen lekker ruim weghangen op een knaapje. Hebben we genoeg knaapjes?
10 ◆ Ik haal nog wat lege knaapjes van boven. Dan het hoofdstuk stoelen. Wilde je ze laten eten op de stoelen in de zitkamer, of op die uit de keuken?
◇ Van de zitkamer natuurlijk. We laten ze toch niet
15 in de keuken eten?
◆ Nee, maar laat ze dan op de stoelen uit de keuken zitten. Op de stoelen uit de zitkamer kan je ze niet een hele avond laten zitten. Gaan ze gebroken de deur uit.
20 ◇ Goed, verwissel jij dan even de zitkamerstoelen met de keukenstoelen.
◆ Waar laten we ze na het eten zitten! Toch niet op de bank, hoop ik. Die is nu echt te armoedig voor woorden. Hangen ze helemaal scheef in.
25 Daar kan je ze echt niet in laten zitten, hoor.
◇ Als het gezellig is en we lang over het eten doen, blijven ze wel aan tafel zitten.
◆ Waar moeten we het met ze over hebben. Wat voor boeken lezen ze bijvoorbeeld?
30 ◇ Ik dacht niet dat ze lazen. Ach, het gaat vanzelf. Als ze maar eenmaal zitten. Servetten! Vergeten onze roze servetten te kopen, in de kleur van het boeket op tafel.
◆ Zij letten niet op dat soort details en 't is zomaar
35 een etentje ...
◇ Dat zeiden zij ook, de keer dat we daar waren. Weet je nog? Al dat fantastische eten had de kleur van hun tafellaken. IJsblokjes! Zit er water in de bakjes van het vriesvak?
40 ◆ Ai! Schat, we zijn te chaotisch bezig. Afchecken moeten we. Ze rijden voor, ze bellen aan en jij doet open.
◇ Hè, doe jij ze nou een keer open. Als ik ze heb gezoend, kom jij altijd pas te voorschijn en
45 begint het gesnater opnieuw.
◆ Okay, doen we samen open. Maar dan. Gaan ze nog even zitten en waar? Voor meteen aan tafel is het te vroeg.
◇ Dan laten we ze eerst het hele huis zien.
50 ◆ O nee, ik wil niet dat ze in de slaapkamer komen. Is toch een soort schending van onze privacy.
◇ Bovendien is de slaapkamer een bende. Doen we niet. Weet je wat? We laten ze even in de keuken zitten. Niet zo formeel, gewoon een 55
drankje aan de keukentafel. Lekker losjes.
◆ Zitten ze dus toch op de stoelen uit de zitkamer. We zouden de zitkamerstoelen in de keuken zetten, weet je nog? En de zitkamerstoelen zijn echt niet om op te zitten. 60
◇ Dan laten we ze wel in de zitkamer zitten en dan gaan wij op de bank zitten. Zien ze de gaten en de vlekken niet.
◆ Maar waarop zitten zíj dan?
◇ Op de stoeltjes uit de slaapkamer. Haal ik zo 65
even.
◆ Die lullige, gedateerde, rieten stoeltjes? Die staan niet voor niks in de slaapkamer. Goed om je kleren over te hangen, niet voor te zitten.
◇ Dan is er maar één oplossing: we gaan wél 70
meteen aan tafel. Maar ... die is nog niet gedekt! Wat vind je daarvan? We dekken de tafel gewoon later. Ik babbel eerst wat met haar in de keuken en jij laat hem de computer zien.
◆ En wie dekt dan de tafel? 75
◇ Eh ... de butler. Ha, ha, nee, je hebt gelijk. Onzin. We blijven aan tafel en we dekken waar ze bij zitten. Ben je gek, niet zo benauwd, zeg.
◆ Ho! Wat drinken ze als ze zitten. Eerst nog koffie, of meteen een drankje? 80
◇ Geen koffie. Ik ben dan al bezig met het voorafje en dan kan ik geen koffiegedoe hebben. Onthouden: als ik het voorafje maak, moet het toetje uit de ijskast.
◆ Hebbes! Als ze zitten, schenken we een glaasje 85
champagne! Altijd goed. Geeft een vrolijke stemming en dan maakt het geen bal meer uit of we dekken waar ze bijzitten.
◇ Als ze drinken. Wat we niet zeker weten. Stel je voor dat ze niet drinken. 90
◆ Als ze niet drinken zijn we de sigaar. Sigaren! Hij rookt toch sigaartjes? Vergeten. En Goos is al dicht. Ai, kunnen we ze niets te roken aanbieden.
◇ Met de drank zit ik meer in m'n maag. Hebben we fris? 95
◆ Eén fles Spa nog, ergens. O nee. O nee.
◇ Wat is er?
◆ Hebben ze een blauwe Peugeot 305?
◇ Zou kunnen.
◆ Er rijdt nu een blauwe Peugeot 305 voor. Ze zijn 100
er al!
◇ Nu al? Allemachtig, ze zijn een uur te vroeg. Vlug. Jij gaat je boven optutten en ik doe open. Ik hou ze wel even aan de praat, dan trek ik m'n jas aan en ga weer met ze naar buiten om hun 105
Peugeot 305 te bewonderen. Daarna laat ik ze ons voortuintje zien. Pas als ze zitten, kom jij binnen. Wat een ramp, ze zijn er al!

Extra

8 Spreektaal

Vul de betekenis in.

te armoedig voor woorden (23) ....
het gesnater (45) ....
een bende (53) ....
lekker losjes (56) ....
niet voor niks (68) ....
onzin (77) ....
koffiegedoe (82) ....
Hebbes! (85) ....
het maakt geen bal uit (87) ....
ergens mee in z'n maag zitten (94) ....
zich optutten (103) ....
iemand aan de praat houden (104) ....
Wat een ramp! (108) ....

Ik heb een idee! ⁝⁝ een rotzooi ⁝⁝ het geklets
niet zomaar/zonder reden ⁝⁝ koffie drinken en alles wat daarbij hoort ⁝⁝ ongedwongen
zich opfrissen ⁝⁝ iemand bezighouden ⁝⁝ zich ergens zorgen over maken ⁝⁝ Vreselijk!
het maakt mij niet uit ⁝⁝ iets dat er niet chic uitziet ⁝⁝ nonsens

9 We zijn er helemaal klaar voor.

Vul de woorden en uitdrukkingen in.

Mooi! Allemachtig! Zou kunnen. de sigaar Weet je wat? Ben je gek!

■ Denk je dat er vanavond veel mensen zullen komen?

● ______________ We hebben tenslotte behoorlijk veel uitnodigingen verstuurd.

■ We hebben in ieder geval wel genoeg eten en drinken gekocht.

● Ja, maar als er niemand komt, zijn we ______________ . Dan houden we al dat eten en drinken over!

■ Heb jij de glazen al afgewassen?

● Ja hoor.

■ ______________ Dan zijn we klaar.

● Nee! We zijn helemaal vergeten om chips te kopen.

■ ______________ Wat ontzettend dom!

● ______________ Dan ga ik even naar de avondwinkel.

■ ______________ Dat is echt niet nodig. We hebben al kaas, toastjes, salades en stokbrood.

● Ja, je hebt gelijk. We zijn er helemaal klaar voor.

Nederland - *ander*land

Stelling van de week

'Een kind zegt 'U' tegen volwassenen'

"Ik vind dat als je 'U' zegt tegen iemand, dat je dan een veel grotere afstand voelt dan dat je 'je' tegen iemand zegt." (Inge)

"Ik vind als je 'U' tegen mensen in het algemeen zegt, dat je dan iemand boven iemand zet. Ik vind het een raar woord. Het zou toch veel fijner zijn als je gewoon tegen iedereen 'je' kon zeggen. Ik zal ook altijd blijven zeggen als ik later volwassen ben: zeg maar 'je'. Met 'U' schep je een afstand tussen kind en ouder en ik vind dat dat niet hoeft." (Wieneke)

"Ik vind dat als je iemand goed kent - en als het mag van degene - dat je dan gewoon 'jij' mag zeggen." (Joris)

"Ik vind het onzin, want we zijn allemaal gelijk. En ik vind 'U' ook wel oud klinken. De meeste mensen willen zo nog geeneens aangesproken worden." (Thijs)

"In een eerste ontmoeting met volwassenen boven de 30 jaar vind ik het eigenlijk soms wel nodig." (Emay)

"Vind ik wel. Dat hoort er een beetje bij als je fatsoenlijk bent opgevoed. Het heeft veel weg van respect voor anderen. Ik vind dat je tegen je ouders geen 'U' hoeft te zeggen, omdat ik dat zo afstandelijk vind." (Sammy)

"Als het kind zo tegen de 12 jaar is, dan hoort het onbekende mensen met 'U' aan te spreken. Maar bij een leraar op school vind ik dat een beetje onterecht." (Margje)

Hans Achterberg, docent maatschappijleer op het Mozaïekcollege Oosterbeek IVO-Montessori, gaf mavo-4-leerlingen de kans bonuspunten te verdienen door hun mening te geven over de stelling. Dit is een bloemlezing uit de reacties van zijn pupillen.

uit De Gelderlander 27 januari 2001

GSM

Lijn 8 richting Overvecht NS, Utrecht

Met Ilse. (...) O, ben jij het. Lekker. (...) Ik geloof niet dat het verstandig is dat je belt, hallo, kun je me verstaan, IK GELOOF NIET DAT HET VERSTANDIG IS DAT JE BELT NU. (...) Nee, ik sta in de bus. (...) Dat had je dan maar eerder moeten bedenken. (...) Ja, dat had je dan maar eerder moeten bedenken. (...) Dat had je dan maar eerder moeten bedenken. (...) Je moet niet met mij gaan praten, je moet met haar gaan praten. (...) Ja, da's lekker. Straks gaat zij mij nog bellen. Om te zeggen dat het haar spijt. (...) Ik zeg toch, je moet mij helemaal niet bellen. Ik wil je helemaal niet spreken nu. (...) Nee, ik wil je al helemaal niet zien nu. (...) Ja, goh, wat ben je zielig zeg. Wat ben jij zielig. (...) Dat had je dan maar eerder moeten bedenken. (...) Daar kan ik toch niks over zeggen nou. (...) Nee man, daar kan ik toch niks over zeggen. Ik sta in een stampvolle bus!

uit de Volkskrant 3 november 2000

Samenvatting

Grammatica

Syntaxis: inversie

Hij	**praat**	graag over zijn hobby's.
Volgens mij	**praat**	*hij* graag over zijn hobby's.

Syntaxis: de indirecte vraag

Ik wil alleen even vragen *hoe laat* de bus **vertrekt**.

Ik zou eerst vragen *hoe lang* zij hier al **werkt**.

Kun je me vertellen *waar* je jouw boeken **hebt gekocht**?

Idioom

het hebben over ...
reageren op
een onderwerp aansnijden
Dat klopt.
Onzin!
iets te weten komen over
Hebbes!
Ben je gek!
Weet je wat?
de sigaar zijn
Zou kunnen.
Allemachtig!
met iets in z'n maag zitten
iemand aan de praat houden
te ... voor woorden
Het maakt geen bal uit!
Wat een ramp!
Het maakt mij niet uit.
We zijn er helemaal klaar voor!

1 In welke situatie vraagt of geeft u informatie?

In welke situatie(s) hebt u al eens informatie *in het Nederlands* gevraagd of gegeven?
Vraag het ook aan uw medecursisten.

2 Luisteren  6

Waar zou u de volgende vragen kunnen horen?
Zet het nummer van de vraag bij het goede plaatje.

thuis

in een restaurant/café

in de winkel

op straat

in het openbaar vervoer

op je werk

Aandacht voor de taal

3 Luisteren  7

Stefan en Anne uit België zijn op bezoek bij Martina en Reinier in Den Haag. Lees de zinnen. Luister daarna naar het gesprek en kruis aan: zijn de zinnen waar of niet waar?

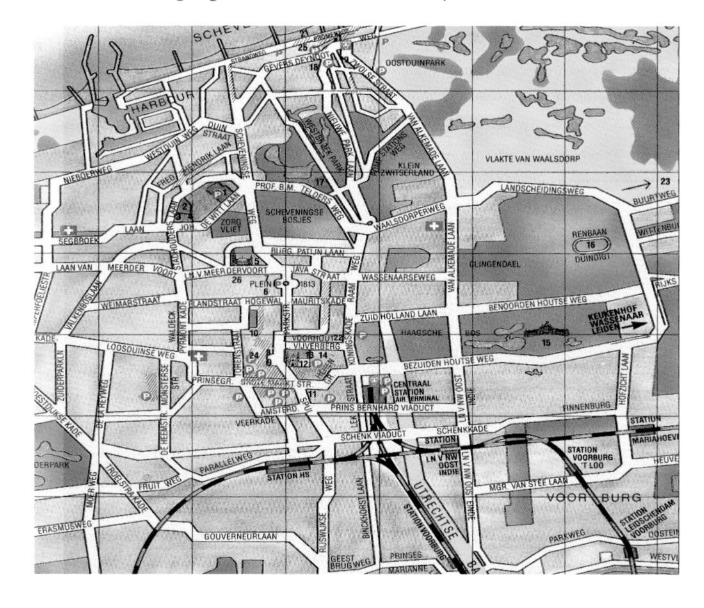

	waar / niet waar
1. Stefan en Anne zijn nog nooit in Den Haag geweest.	
2. Martina raadt Stefan en Anne aan om een strandwandeling te gaan maken.	
3. Het Museon, het Gemeentemuseum en het Omniversum liggen bij elkaar in de buurt.	
4. Volgens Martina kent Reinier veel leuke restaurantjes in Den Haag.	
5. De Hoogstraat is een leuke straat om te winkelen.	

Les 2

4 Omschrijven

a Wat hoort bij elkaar?

Het Mauritshuis,		populair-wetenschappelijk museum
De Hoogstraat,		soort bioscoop
Het Gemeentemuseum,	**dat is een**	winkelstraat
Het Museon,		museum voor kunst uit de Gouden Eeuw
Het Omniversum,		museum voor moderne kunst

b Maak tweetallen. Omschrijf een bezienswaardigheid in uw land.

Madurodam is een soort ministad. Je kunt er Nederlandse bezienswaardigheden in het klein bekijken.

Aandacht voor de taal

5 Vul in.

Soms zijn er meerdere mogelijkheden.

misschien ⁞ dat geeft niet ⁞ toevallig ⁞ gewoon
ik kan er even niet op komen ⁞ toch ⁞ je weet wel
en zo ⁞ hoe heet het ook alweer

1. Heb jij Henk .... gezien?
2. Zou je het .... leuk vinden om naar het strand te gaan?
3. Ik ga het huis schilderen, dus ik heb wat verf en kwasten gekocht ....
4. Jij zou .... de strandspullen meenemen?
5. Weet je wat ook leuk is? Dat ene museum, ...?
6. – Ken je dat ene meisje? Hoe heet ze ook alweer? .... Ze werkt in onze kantine.
   – Oh, je bedoelt Esther.
7. – Ik had geen tijd meer om boodschappen te doen.
   – Oh, ... Dan bestellen we wel een pizza.
8. – We gaan een weekendje naar een huisje in Zeeland.
   – Zeeland? Wat ga je daar dan doen?
   – Nou, eh .... zwemmen, fitnessen, naar de sauna ...., lekker ontspannen.

6 Luisteren  8

U gaat luisteren naar een gesprek tussen Gerda en Femke. Lees de zinnen.
Luister naar de tekst en kruis aan welke zinnen u hoort.

- ☐ Kom je ook op onze housewarmingparty?
- ☐ En ik wil je graag uitnodigen op onze housewarmingparty.
- ☐ Ik wilde je graag uitnodigen voor onze housewarmingparty.

- ☐ Komen jullie dan ook ?
- ☐ Kunnen jullie dan?
- ☐ Hebben jullie dan tijd?

- ☐ Vanaf hoe laat ongeveer?
- ☐ Hoe laat begint het?
- ☐ Vanaf wanneer ongeveer?

Aandacht voor de taal

7 Luisteren  9

U hoort vijf reacties op Gerda's uitnodiging.

BESTE PAUL,

IK KON JE TELEFONISCH HELAAS NIET BEREIKEN. KOM JE NAAR ONZE HOUSEWARMINGPARTY A.S. ZATERDAG?
LAAT EVEN WETEN OF JE KOMT.
LIEFS,

GERDA

PAUL VAN VEN
ERASMUSSTRAAT 12
3422 BX AMSTERDAM

Kruis aan: komen ze, of zeggen ze af?

	komt	zegt af
Paul		
Marcel		
Marleen		
Wilma		
Alda		

Les 2

Aandacht voor de taal

Komt u of zegt u af?

a Met welke van de volgende zinnen zegt u dat u komt en met welke zinnen zegt u af?

	komt	zegt af
1. Hierbij deel ik u mee dat ik de 23ste verhinderd ben.		
2. Het spijt me, maar ik kan helaas niet komen.		
3. Sorry, maar ik ben er dan niet.		
4. Ja, dat kan. Hartstikke leuk!		
5. Jammer, ik zou graag komen, maar ik heb een verjaardag.		
6. Tuurlijk heb ik zin om te komen, lijkt me erg leuk.		
7. Ik zou wel willen, maar ik kan helaas niet ...		
8. Ik kom naar je housewarmingparty, maar ik kan niet zo heel erg lang blijven.		
9. Hierbij deel ik u mee dat ik samen met mijn partner gehoor zal geven aan uw uitnodiging.		
10. Hartelijk dank voor je uitnodiging, ik kijk er heel erg naar uit.		

b Welke andere manieren kent u om een uitnodiging te accepteren of af te zeggen?

accepteren	afzeggen

c Welke van de zinnen hierboven komen alleen in schrijftaal voor?

Wat zeg je op een antwoordapparaat?

	Formeel	Informeel
Opening:	*Dag, u spreekt met...*	*Hoi, met....*
Reden:	*Ik bel u over/ in verband met...*	*Ik bel je even om te zeggen/vragen...*
Bereikbaarheid:	*Ik ben bereikbaar op nummer ... (tot .... uur.)*	*Je kunt me bereiken/ bellen op nummer ... (tot ... uur.)*
Afsluiting:	*Tot ziens/dag*	*Dag/doei/tot horens/ tot gauw*

Een stapje verder

9 Spreek een bericht in na de piep.  10

U gaat vijf berichten inspreken op een antwoordapparaat. Luister eerst naar de situatieschets. Noteer steekwoorden en bedenk wat u wilt zeggen. Luister daarna naar de tekst op het antwoordapparaat en spreek uw boodschap in. Gebruik eventueel de voorbeelden op pagina 18.

10 Raadspelletje

Maak groepen van vier. Eén persoon geeft een omschrijving van een woord. De anderen moeten het woord raden. Wie het raadt, moet het volgende woord omschrijven.
Maak eventueel gebruik van de voorbeelden bij oefening 4.

11 Schrijven

Lees de tekst van Tom Steenbeek over Den Haag. Schrijf daarna een tekst van ongeveer 150 woorden, waarin u tips geeft over leuke en mooie plekjes in de stad waar u nu woont of een stad waar u vroeger woonde.

MIJN DEN HAAG

Tom Steenbeek

Tom Steenbeek is adjunct-directeur bij een softwarebedrijf. Hij woont met zijn vrouw Monique in hartje Den Haag.

Restaurants
Als ik stijlvol uit eten wil, ga ik naar Le Bistroquet aan het Lange Voorhout, tegenover de Koninklijke Schouwburg. Je kunt ook prima lunchen en dineren bij Slemmer, een café-restaurant aan de Lange Houtstraat. Het is daar altijd druk en het is een prima ontmoetingsplaats.
Wie van vis houdt, kan het beste naar de Dr. Lelykade in de Scheveningse haven gaan. Daar heb je volop keus, bijvoorbeeld Tepan Yaki bij Ginza. Of de Rederswerf. Daar kun je allerlei vissoorten bestellen. En voor een goede prijs-kwaliteitverhouding kun je het beste naar de Zoute Zoen gaan.

Café
Als ik zin heb om gezellig een biertje te drinken, dan ga ik naar Hathor aan de Maliestraat. In de zomer kun je daar ook lunchen op een terrasboot. Dat is erg leuk! In diezelfde straat zit ook Ca L'Emile. Dat is minder druk dan Hathor, maar het is er ook heel gezellig. Als je zin hebt in een culturele avond, kun je naar het Literair Theater Branoul gaan. Dat ligt naast Ca L'Emile.

Theater
Voor dans of muziek ga ik meestal naar het Lucent Dans-theater of naar de Dr. Anton Philipszaal. Beide theaters liggen naast elkaar aan het Spui. Onder de theaters is een grote parkeergarage. Dat is lekker makkelijk, want dan hoef je niet zo lang naar een parkeerplaatsje in de buurt te zoeken.

Wandelen
Een stukje wandelen. Dat doe ik het liefst aan de boulevard in Scheveningen. Ik vind het heerlijk om de frisse zeewind op te snuiven. En langs het strand te flaneren.
In de zomer zijn alle strandtenten open en dan kun je aan het strand eten en drinken, met een prachtig uitzicht op zee!

Favoriete winkelstraat
Mijn favoriete winkelstraat is de Hoogstraat. Maar je kunt ook prima winkelen in de overdekte passage tussen de Spuistraat en het Buitenhof. Voor snuisterijen en antiek ga ik naar de Denneweg.

12 Welk vakantietype bent u?

Doe de volgende test.

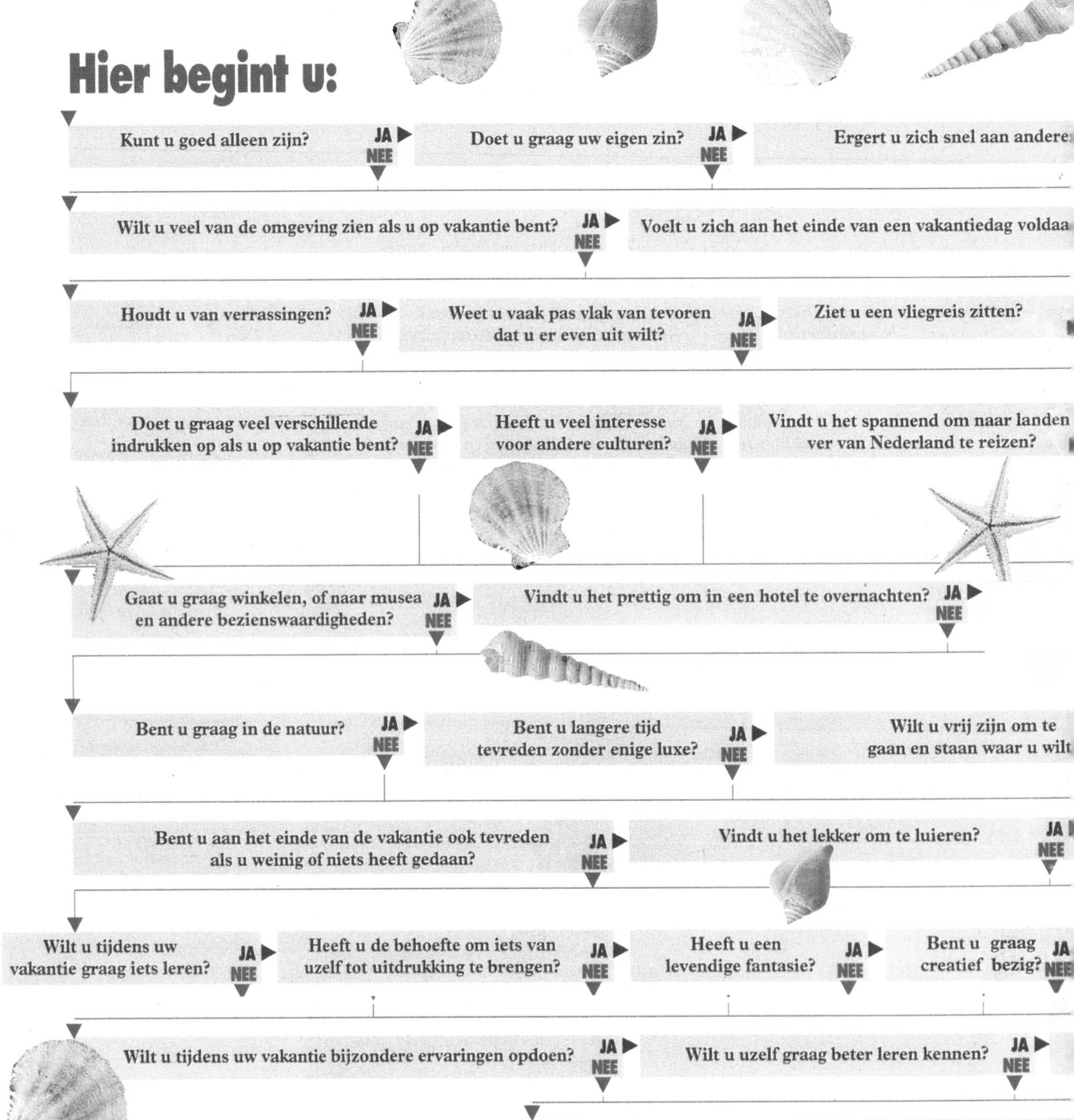
Welk vakantietype
Hier begint u:
Kunt u goed alleen zijn? JA NEE
Doet u graag uw eigen zin? JA NEE
Ergert u zich snel aan andere
Wilt u veel van de omgeving zien als u op vakantie bent? JA NEE
Voelt u zich aan het einde van een vakantiedag voldaa
Houdt u van verrassingen? JA NEE
Weet u vaak pas vlak van tevoren dat u er even uit wilt? JA NEE
Ziet u een vliegreis zitten?
Doet u graag veel verschillende indrukken op als u op vakantie bent? JA NEE
Heeft u veel interesse voor andere culturen? JA NEE
Vindt u het spannend om naar landen ver van Nederland te reizen?
Gaat u graag winkelen, of naar musea en andere bezienswaardigheden? JA NEE
Vindt u het prettig om in een hotel te overnachten? JA NEE
Bent u graag in de natuur? JA NEE
Bent u langere tijd tevreden zonder enige luxe? JA NEE
Wilt u vrij zijn om te gaan en staan waar u wilt
Bent u aan het einde van de vakantie ook tevreden als u weinig of niets heeft gedaan? JA NEE
Vindt u het lekker om te luieren? JA NEE
Wilt u tijdens uw vakantie graag iets leren? JA NEE
Heeft u de behoefte om iets van uzelf tot uitdrukking te brengen? JA NEE
Heeft u een levendige fantasie? JA NEE
Bent u graag creatief bezig? JA NEE
Wilt u tijdens uw vakantie bijzondere ervaringen opdoen? JA NEE
Wilt u uzelf graag beter leren kennen? JA NEE
Heeft u geen zin om gewoon lekker thuis te blijven dit jaar?

bent u?

Dol op luieren of juist op actie? Geniet u van de stilte van de natuur of heeft u liever de drukte van een stad? Of misschien wel allebei. Met deze test komt u erachter welke vakantie het best bij u past.

Solist

Of u nu graag fietst of wandelt, verre landen ontdekt, liever musea bezoekt of bij voorkeur helemaal niets doet... Eén ding is zeker: u bent helemaal in uw element als u alléén op vakantie gaat. Dan kunt u lekker doen waar u zelf zin in heeft. En de kans op ruzie is nihil.

s u een prestatie heeft geleverd? JA ▶ NEE ▼

Bent u graag sportief bezig? JA ▶ NEE ▼

Sportieveling

Wandelen, fietsen, bergbeklimmen, kanoën, paardrijden, skaten... Uw vakantie is pas geslaagd als u zich flink kunt inspannen. Sportievelingen die niet van inpakken houden, kunnen vanuit hotel of camping verkenningstochten maken. Krijgt u de kriebels op één plek? Dan voelt u vast meer voor reizen waarbij u van de ene naar de andere bestemming loopt of fiets, terwijl de bagage wordt vervoerd. Een uitdaging voor de echte fanatiekeling: met een rugzak of de fietstassen vol op eigen kracht het land door.

Bent u snel tevreden over uw vakantiebestemming? JA ▶ NEE ▼

Last Minute-ganger

U hoeft niet maanden van tevoren te weten waar u naartoe gaat op vakantie. Integendeel, u wilt weg kunnen als het u uitkomt. En dat is precies het voordeel van een last minute-reis: boeken en binnen twee weken vertrekken. Misschien is de plaats van bestemming niet helemáál wat u hoopte, maar er is ook een voordeel: u komt op eilanden en stranden, in stadjes en landen waar u zelf niet zo snel aan gedacht zou hebben.

Vereldreiziger

:t liefst zou u de hele wereld over reizen
ı verre landen en culturen te ontdekken!
eine kans dat het lukt. Want áls u gaat,
emt u de tijd om het land door de ogen
n de inwoners te leren kennen en niet
or die van een gehaaste toerist.

elt u zich lekker in de drukte van een grote stad? JA ▶ NEE ▼

Cityhopper

Heeft u alle grote steden in Europa al gezien? Dan heeft u vast uw blik op de metropolen van andere continenten laten vallen. Eén ding is zeker: u voelt zich als een vis in het water als u uw vrije tijd in de stad doorbrengt.

Kampeerder

In een tentje op het gras, lekker doen waar je zin in hebt. Dat is het motto van de kampeerder. Je eigen potje koken, gezellig rond een kampvuurtje. En het maakt niet zoveel uit waar, als het er maar mooi is.

Gaat u vooral op vakantie om uit te rusten? JA ▶ NEE ▼

Lekker-Lui-Liefhebber

Op het strand, aan het zwembad, op een terrasje of lekker in bed... Het is voor u pas vakantie als u voor de verandering even helemaal niets hoeft. Geen werk, geen huishouden, geen verplichtingen van alledag. Dan kunt u er na een paar weken weer helemaal tegen!

Creatieveling

Keuze genoeg als u uw vakantie gaat plannen, want bij steeds meer reisbureaus kunt u creatieve reizen boeken. Of u nu graag schildert, boetseert, toneelspeelt of andere talenten wilt ontwikkelen.

ooft u dat er meer is tussen hemel en aarde? JA ▶ NEE ▼

Spirituele Zoeker

Nieuwe inzichten en ervaringen die een leven lang meegaan, maken een reis voor u echt de moeite waard. U zoekt naar 'iets meer' of 'iets hogers'. Wat dat precies is? Zwemmen met dolfijnen misschien, een bezoek aan Ierse steencirkels of een pelgrimstocht. U laat u simpelweg op de stroom van het leven meevoeren, en zo komt u altijd waar u wilt zijn.

Les 2

Extra

13 Overleggen

Kies bij elk groepje zinnen een titel uit het schema.

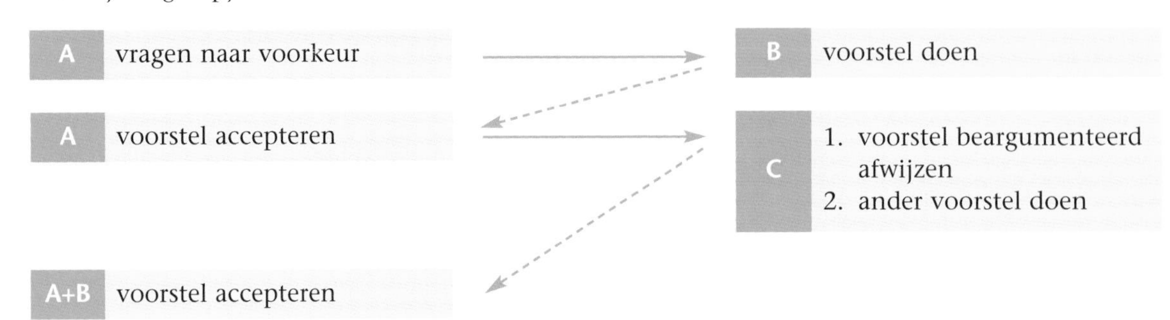

....
Nee, dat lijkt me niet zo leuk(, want ...)
Nee, dat vind ik niet zo'n goed idee(, omdat...)
....

....
Is het niet leuker om...?
Kunnen we niet beter....?
Waarom gaan we niet ....?
...

....
Laten we...
Zullen we...
Misschien kunnen we...
Lijkt het je leuk om ...
....

....
Wat willen jullie graag doen?
Wat doen jullie het liefst?
....

....
Ja, (dat is een) goed idee!
Ja, dat lijkt me leuk!
...

Let op!

Modale verba + infinitief
Kunnen we niet beter naar Spanje *gaan*?
Laten we de trein naar Parijs *nemen*.
Zullen we de tent *meenemen*?

14 Plannen maken

Zoek medecursisten die hetzelfde vakantietype zijn als u. U gaat samen een vakantie plannen. Gebruik voor het overleg het schema van oefening 13.

Waar gaat u naartoe?
Wat neemt u allemaal mee?
Gaat u met het vliegtuig, de trein, de auto.....?
Waar overnacht u?
Wat gaat u allemaal doen?
...

Ganzenbord

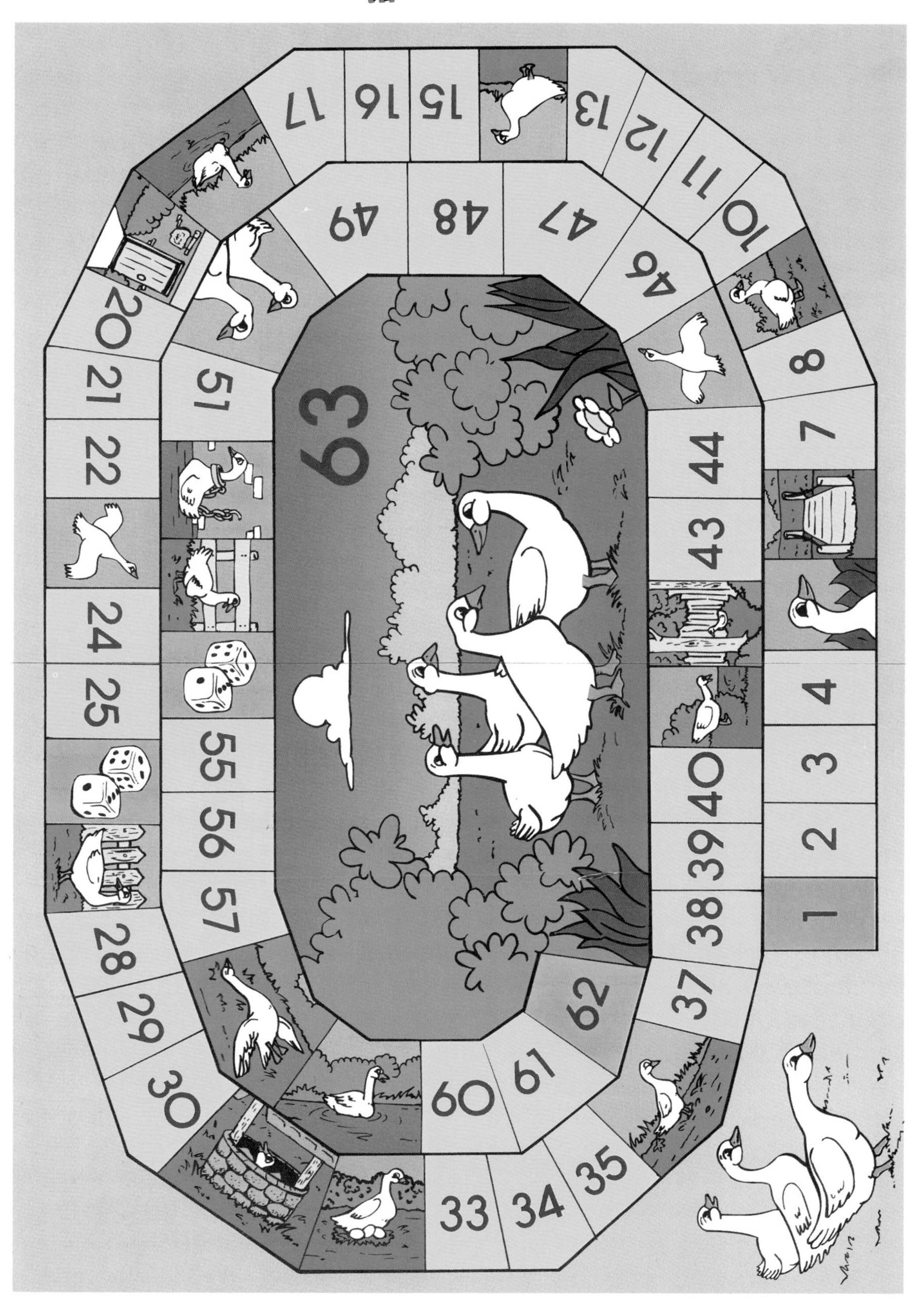
1
2
3
4
7
8
10
11
12
13
15
16
17
20
21
22
24
25
28
29
30
33
34
35
37
38
39
40
43
44
46
47
48
49
51
55
56
57
60
61
62
63

Gezellig!

"Gezellig" is naast "leuk" en "lekker" het stopwoord van een Nederlander die het naar z'n zin heeft. Buitenlandse schrijvers blijven zich verbazen over dit woord. En Nederlanders weten zeker dat er in andere talen geen equivalent voor is.

In de jaren vijftig was gezelligheid in feite een gevolg van zuinigheid; gezellig spelletjes doen op zaterdagavond was leuk en ... het kostte geen cent! Toen de welvaart toenam, ging men ook steeds vaker buitenshuis op zoek naar gezelligheid. Het aantal terrassen nam explosief toe.

Daardoor is de openbare ruimte een verlengstuk geworden van de huiskamer. Bierbrouwerijen doen hun uiterste best om hun merk als "het gezelligste" te verkopen. Een leuke avond wordt afgesloten door tevreden tegen elkaar te zeggen: " 't was gezellig". Zelfs op het werk speelt gezelligheid tegenwoordig een belangrijke rol. Gezelligheid is zelfs de norm; als een discussie uit de hand loopt, dan is er altijd wel iemand die zegt: "Laten we het wél gezellig houden, ja?"

De antropoloog Henk Driessena heeft zich in dit typisch Nederlandse fenomeen verdiept. Hij voorspelt dat gezelligheid in de toekomst nog belangrijker wordt: "Gezelligheid herinnert ons aan geborgenheid, kleinschaligheid en overzichtelijke verhoudingen. Dat wordt belangrijker nu we steeds meer geconfronteerd worden met grotere (Europese en mondiale) verbanden. Het wordt dan een middel om onze sociale en morele grenzen te markeren."

Samenvatting

Grammatica

Modale verba + infinitief

Wil je een stukje *wandelen*?
Laten we het wél gezellig *houden*!
Ik *zal* die afspraak *afzeggen*.

Iets niet meer weten

Ik kan even niet op de naam/het woord komen.
Je weet wel, ...
Hoe heet het ook alweer?

Omschrijven

Het is een (soort....)
Het is (iets) om (mee) te ..... + infinitief
Je kunt er ....

Overleggen

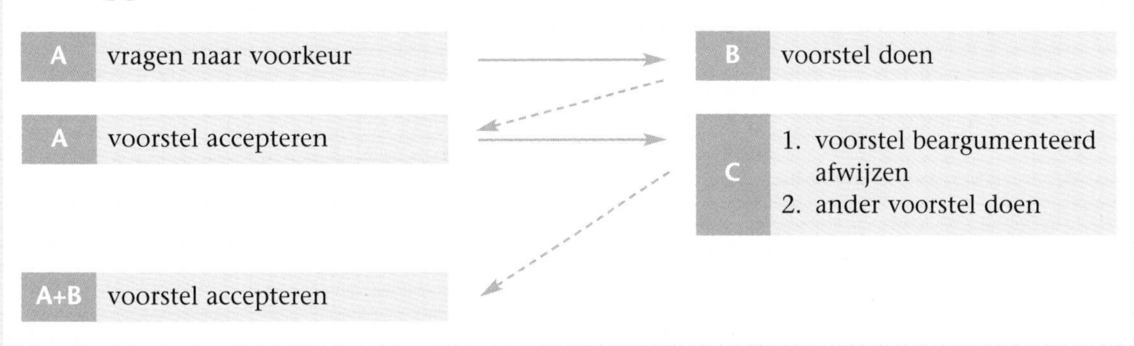

Idioom

Dat geeft niet.
gehoor geven aan
Ik kijk er (heel) (erg) naar uit.
Hij woont in hartje Den Haag/Antwerpen.
Dat is lekker makkelijk.
een stukje wandelen
Eén ding is zeker: ...
De kans op ... is ...
Kleine kans dat ...
Het maakt niet (zo)(veel) uit.
het (niet) zien zitten
Ik voel meer voor ...
het naar je zin hebben

Druk, druk, druk!

Opstap

1 Wat vindt u belangrijk in uw werk?

- een goed salaris
- aanzien, respect
- goede werkomstandigheden
- veel vrije tijd
- een goede werksfeer
- een aangename werkplek

Werk waar ...

- je het (niet) druk mee hebt.
- je met mensen te maken hebt.
- je niet voor in de file hoeft te staan.
- je buiten bent.

Werk dat ...

- afwisselend is.
- interessant is.
- creatief is.
- zinvol is.
- ...

2 Inventariseer

Welke eigenschappen heeft een goede directeur, secretaresse, docent? Overleg met een medecursist.

➔ *Een goede docent is streng.*

Pronomina relativa
Werk *dat* je leuk vindt.
Collega's *die* je helpen.
Collega's *met wie/waarmee* je kunt lachen.

Aandacht voor de taal

3 Luisteren 11

U hoort 3 telefoongesprekken.
Noteer van elk gesprek het doel.

	Doel
Gesprek 1	
Gesprek 2	
Gesprek 3	

4 Waar of niet waar?

Lees de zinnen. Luister nog een keer naar de gesprekken en kruis aan:
zijn de zinnen waar of niet waar?

	waar	niet waar
Gesprek 1		
1. Nieuwe werknemers moeten eerst een cursus doen. Daarna worden ze pas aangenomen.		
2. Ervaring is belangrijk voor deze functie.		
Gesprek 2		
3. Je kunt je inschrijven met een formulier en door een persoonlijk gesprek.		
4. Bart kan door de week zeker geen afspraak maken.		
Gesprek 3		
5. De heer Loven maakt geen deel uit van de sollicitatiecommissie.		
6. Jan de Meier wordt over de uitslag teruggebeld.		

5 Geen antwoord kunnen geven.

Kruis aan. Zijn de zinnen informeel, neutraal of formeel?
Soms zijn er meer mogelijkheden. Overleg eventueel met een medecursist.

	informeel	neutraal	formeel
1. Ik zou het (eerlijk gezegd) niet weten.			
2. Ik weet het eigenlijk niet.			
3. Geen flauw idee.			
4. Weet ik veel.			
5. Het spijt me, ik kan u helaas niet helpen.			
6. Sorry, ik weet het niet.			
7. Daar weet ik niks van, hoor.			
8. Dat kan ik u niet zeggen.			
9. Dat is moeilijk te zeggen.			
10. Dat hangt ervan af.			
11. Daar weet ik helaas niet zoveel vanaf.			

Aandacht voor de taal

6 Met andere woorden

De volgende zinnen komen uit de luisterteksten. Formuleer andere zinnen met dezelfde betekenis. Overleg met een medecursist.

1. Waarmee kan ik u van dienst zijn?
2. Dat is iets waar wij zwaar aan tillen.
3. Het hangt er van af...
4. Daar gaat iemand anders over.
5. Ik maak geen deel uit van de sollicitatiecommissie.
6. Hij krijgt te maken met een lange reistijd.

7 Een sollicitatiebrief

Let op! **Adverbia**
Een **breed** inzetbare docent
Een **erg** lange reistijd

Mw. M. Echterveld
Dorpsstraat 10
4567 BN Hilversum

SG De Maarn
T.a.v. dhr. M. v.d. Hoog
Drieweg 97
5021 HG Almere

Hilversum, 10 januari 2001

Geachte heer Van der Hoog,

Bij dezen reageer ik op de vacature voor docent Duits in het Algemeen Dagblad van 7 januari jongstleden. Omdat ik geïnteresseerd ben in deze functie, wil ik graag iets vertellen over mijn opleiding en werkervaring.

Sinds ik ben afgestudeerd aan de Hogeschool Rotterdam, heb ik brede ervaring opgedaan. Ik heb bijvoorbeeld lesgegeven op middelbare scholen op elk niveau en aan elke leeftijdsgroep. Daarnaast heb ik in het mbo gewerkt als docent Duits en als mentor.

Ik ben dus een jonge en breed inzetbare docent. Bovendien vind ik afwisseling in mijn werk belangrijk. Ik neem daarom graag extra taken op me, zoals het mentorschap of het organiseren van schoolfeesten.

Graag zou ik de kans krijgen een en ander in een gesprek toe te lichten.

Hoogachtend,

Marieke Echterveld

Bijlage: curriculum vitae

Aandacht voor de taal

8 Doei!

Zet de uitdrukkingen in het schema.

Hoogachtend, ⁝⁝ Ik schrijf je even een briefje ... ⁝⁝ Met vriendelijke groet,
Geachte heer, mevrouw, ⁝⁝ Doei! ⁝⁝ Beste Hanny, ⁝⁝ Graag zou ik reageren op...
Tot gauw, ⁝⁝ Bij dezen reageer ik op...
Ik hoop u hiermee voldoende te hebben geïnformeerd.
Ik zie uw reactie met belangstelling tegemoet. ⁝⁝ Tot ziens

	aanhef	opening	afsluiting
formeel			
informeel			

9 Suffixen

A-Z

Van welke woordsoort zijn de volgende woorden afgeleid?

belangrijk

invloedrijk

initiatiefrijk

opleiding

ervaring

functionering

inzetbaar

vervangbaar

realiseerbaar

BELANGRIJK
opleiding
ERVARING
inzetbaar
invloedrijk
vervangbaar

Welke functie hebben de suffixen?

Een stapje verder

10 Welke eigenschappen zijn belangrijk?

Werk in tweetallen.

a In de linker kolom staat een aantal beroepsgroepen. Kies samen met een medecursist drie beroepsgroepen. Noteer bij elke groep een beroep.

b Noteer: welke eigenschappen horen bij dat beroep?

c Noteer: welke taken horen bij dat beroep?

zelfstandig ⁝ sterk ⁝ geduldig ⁝ consequent ⁝ representatief ⁝ creatief
onafhankelijk ⁝ rustig ⁝ diplomatiek ⁝ inventief ⁝ hard ⁝ sportief
origineel ⁝ rechtvaardig ⁝ welbespraakt ⁝ ambitieus ⁝ stressbestendig ⁝ gastvrij
streng ⁝ hulpvaardig ⁝ handig ⁝ initiatiefrijk ⁝ secuur

A-Z

Beroepsgroepen	Beroepen	Eigenschappen	Taken
de kunst			
de IT (informatie technologie)			
de media			
de techniek			
de horeca	kelner	beleefd	bedienen
de (gezondheids-)zorg			
het management			
de bouw			
de ordehandhaving			
de sport			
het onderwijs			
de detailhandel			
de administratie			
de landbouw			
het toerisme			

Een stapje verder

11 Welke kwaliteiten hebt u?

a Noteer enkele kwaliteiten en goede en slechte eigenschappen van uzelf.

kwaliteiten	goede eigenschappen	slechte eigenschappen

b Bespreek uw kwaliteiten en eigenschappen met een medecursist en bedenk welke baan daar het best bij past.

12 Zo ziet mijn werkdag eruit.

Kies een beroep. Vertel daarna aan een medecursist hoe een werkdag er voor u uitziet.

Denk bijvoorbeeld aan:

- werktijden
- werkplek
- taken, problemen
- werkomstandigheden

Let op!

Woordvolgorde
De wekker **gaat** om 9 uur.
Als ik wakker **ben**, **brengt** de butler ontbijt op bed.
Daarna **ga** ik douchen.

Extra

13 Lezen

Lees de zinnen van oefening 14. Lees daarna de tekst en kruis aan: zijn de zinnen waar of niet waar?

EN WAT DOE JIJ...?

'Ga gezellig met ons mee naar de pedagogische academie', zeiden zijn vrienden. Dat gaf de doorslag. Ze zaten in de laatste klas van de havo. Richard twijfelde, hij kon niet kiezen tussen de hts en de pa.

'Er is nu een enorm tekort aan onderwijzers, maar toen wij afstudeerden, had je voor elke vacature nog driehonderd sollicitanten. Er werd ons geadviseerd een andere richting te kiezen: "word maar rij-instructeur, dat is ook lesgeven".'

Hij schreef wel honderd sollicitatiebrieven, maar telkens was het antwoord: 'Het spijt ons u te moeten meedelen dat de keuze is gevallen op iemand met ervaring.'

Toen hij de moed al bijna had opgegeven, kreeg hij een tijdelijk contract bij de lts in Huizen.

'Daar heb ik veel geleerd op het gebied van orde bewaren. Ik had achttienjarigen in de klas die riepen: "Meneer, je zit aan de verkeerde kant van het bureau." Eenentwintig was ik.

'Op 1 januari 1986 ben ik hier in Weesp begonnen, op de christelijke basisschool Kors Breijer. We hadden 170 leerlingen, nu hebben we er 260. Ik heb in de loop der jaren alle groepen gehad van een tot en met acht. Mijn voorkeur ligt bij de bovenbouw, daar kun je de kinderen heel gericht dingen bijbrengen. Al was het onderwijs niet zo'n bewuste keuze, ik ben toch wel een echte schoolmeester. Kinderen zijn zelfstandiger en mondiger tegenwoordig. Daarmee heb ik geen enkele moeite. Ze tasten altijd grenzen af. Aan mijn gezicht zien ze wel hoe ver ze kunnen gaan.

Ik heb 29 kinderen in de klas, van wie ongeveer een kwart van buitenlandse oorsprong is. Ze gaan met respect met elkaar om. Islamitische kinderen vertellen over hun cultuur, een Marokkaans meisje helpt een Vietnamees meisje met aardrijkskunde, een Turkse jongen zit met zijn Nederlandse vriendje achter de computer.'

Richard is groepsleerkracht van groep zes, coördinator midden- en bovenbouw, computercoördinator en adjunct-directeur. Omdat leraren in opleiding hier stage lopen, heeft hij tijd voor zijn adjuncttaken.

'Ooit wil ik nog eens directeur worden van een iets kleinere school. Ik hou van de combinatie lesgeven en organiseren. Je moet heel flexibel zijn in dit vak. Vroeger was een schoolmeester een wandelende encyclopedie. Tegenwoordig ben je al voor 80 procent geslaagd als je sociale vaardigheden hebt en organisatietalent.'

havo = hoger algemeen voortgezet onderwijs
hts = hogere technische school
pa = pedagogische academie (tegenwoordig: pabo = pedagogische academie voor het basisonderwijs)
lts = lagere technische school (tegenwoordig: vmbo = voorbereidend middelbaar beroepsonderwijs)

Extra

14 Waar of niet waar?

	waar / niet waar
1. Na zijn opleiding had Richard meteen een baan.	
2. Op de lts in Huizen was Richard ongeveer even oud als zijn leerlingen.	
3. Richard geeft het liefst les in de hogere groepen van de basisschool.	
4. Richard vindt organiseren leuker dan lesgeven.	

15 En u?

Geef antwoord op de vragen. Stel de vragen aan twee medecursisten. Noteer hun antwoorden in steekwoorden. Vertel dan aan de klas wat u te weten bent gekomen.

1. Wat voor werk hebt u gedaan/doet u momenteel/wilt u gaan doen?

2. Wat vond/vindt/lijkt u leuk aan dat werk?

3. Sommige mensen die al lang werkloos zijn, laten zich omscholen. Dat wil zeggen: ze gaan opnieuw een opleiding volgen zodat ze sneller werk vinden in een andere richting. Zou u zich ook laten omscholen als u al heel lang werkloos was? Waarom (niet)?

4. Welke (andere) opleiding zou u (dan) graag willen doen?

Les 3

De Nederlandse beroepsbevolking

Verdeling per sector

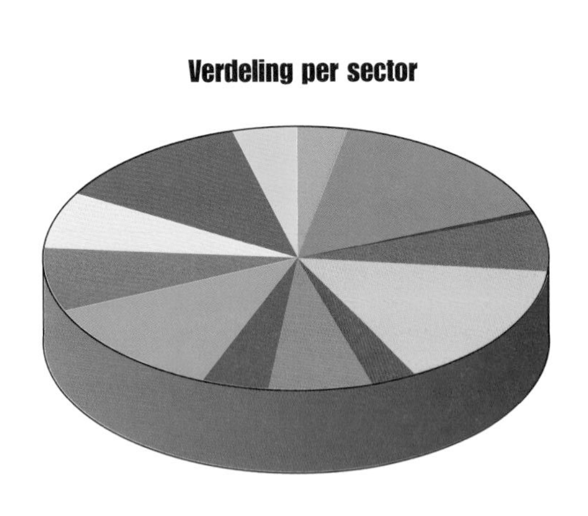

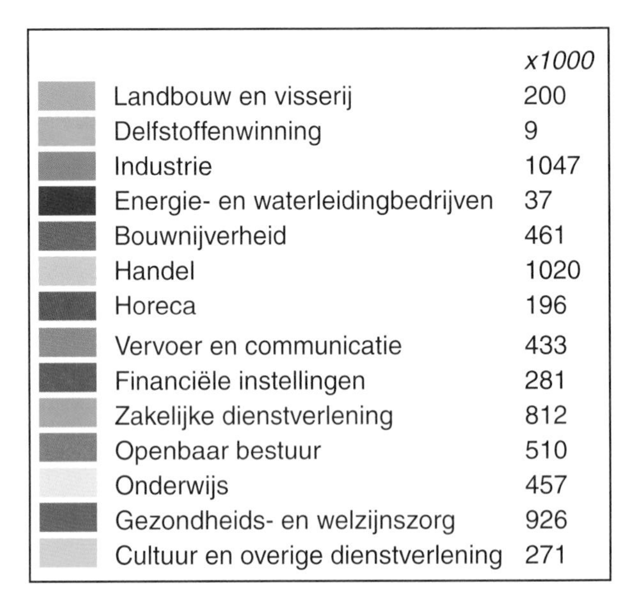

x1000
Landbouw en visserij 200
Delfstoffenwinning 9
Industrie 1047
Energie- en waterleidingbedrijven 37
Bouwnijverheid 461
Handel 1020
Horeca 196
Vervoer en communicatie 433
Financiële instellingen 281
Zakelijke dienstverlening 812
Openbaar bestuur 510
Onderwijs 457
Gezondheids- en welzijnszorg 926
Cultuur en overige dienstverlening 271

Verdeling man/vrouw

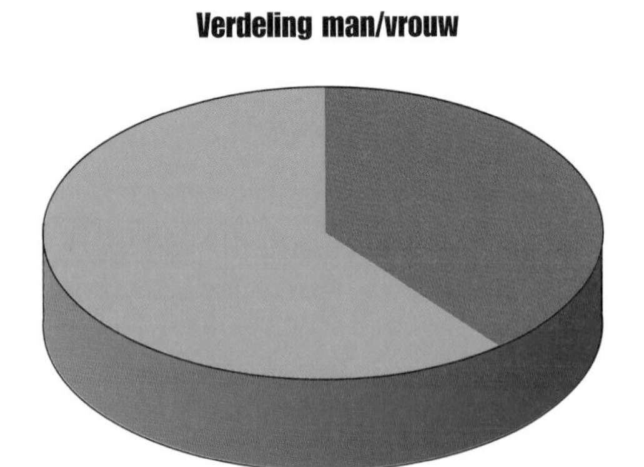

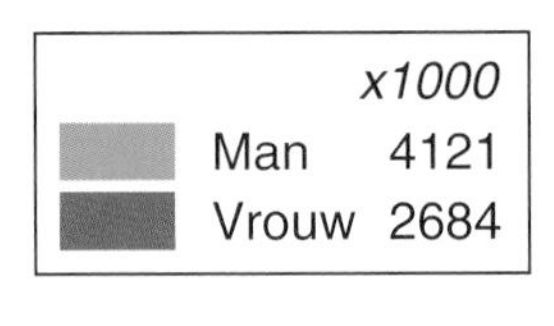

Verdeling naar leeftijd

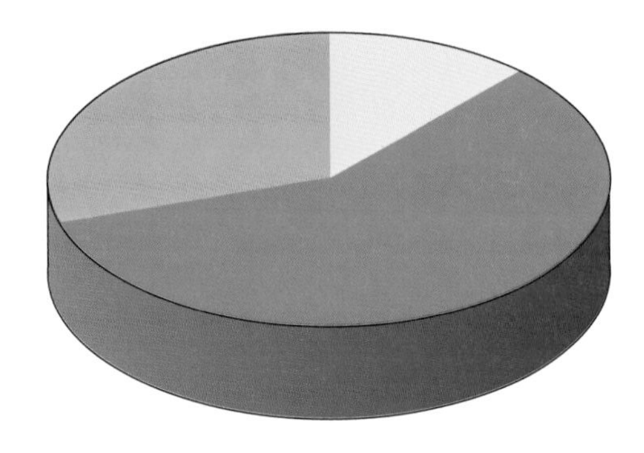

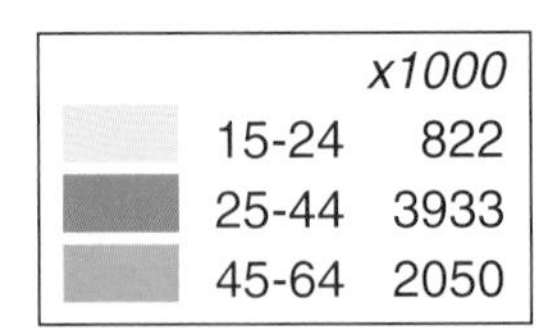

Samenvatting

Grammatica

Pronomina relativa

Werk **dat** je leuk vindt.
Collega's **die** je helpen.
Werk **waarvoor** je niet in de file hoeft te staan.
Collega's **waarmee/met wie** je kunt lachen.

Adverbia

Hij schrijft **duidelijk**.
Hij heeft zijn werk **goed** gedaan.
Hij heeft **erg** belangrijk werk.

Suffixen

- -baar

verbum	→ adjectief
vervangen	vervangbaar *(mogelijk om te vervangen)*

- -rijk

substantief	→ adjectief
het initiatief	initiatiefrijk *(met veel initiatief)*

- -ing

verbum	→ substantief
ervaren	de ervaring

Idioom

Ik zou het niet weten.
Geen flauw idee.
Weet ik veel!
Dat hangt ervan af.
iemand van dienst zijn (met)
zwaar tillen aan
te maken krijgen met
de doorslag geven
de moed opgeven
in de loop der jaren
(geen) moeite hebben met
grenzen aftasten
achter de computer zitten
stage lopen

Waar gewerkt wordt,
worden fouten gemaakt

Een tuin op het zuiden

Opstap

1 Woonwensen

a Welke woonwensen hebt u?

Onderstreep: ik wil het liefst (een) ...

... appartement/eengezinswoning
... nieuwbouw/bestaande bouw
... huurhuis/koophuis
... woning met/zonder tuin
... woning met bad/douche/bad en douche
... woning met/zonder tweede toilet
... drie-/vier-/vijfkamerwoning
... woning in de binnenstad/een buitenwijk

Kruis aan: ik wil het liefst een woning ...

- ☐ ... in een kindvriendelijke omgeving
- ☐ ... dichtbij een basis-/middelbare school
- ☐ ... dichtbij winkels
- ☐ ... dichtbij uitgaansgelegenheden
- ☐ ... dichtbij uitvalswegen
- ☐ ... dichtbij een recreatiegebied
- ☐ ...

b Vul de lijst aan met andere wensen die u hebt.

Aandacht voor de taal

2 Luisteren  12

a U gaat luisteren naar een gesprek tussen Sanne en Marian. Waar praten ze over?

b Lees de zinnen. Luister nog een keer naar de tekst. Zijn de zinnen waar of niet waar?

	waar	niet waar
1. Sanne zou ook wel dichtbij het centrum willen wonen.		
2. Sanne en Marian hebben allebei een huis met tuin.		
3. In een volkstuin kun je groenten verbouwen.		

c Lees de vragen. Luister nog een keer naar de tekst en geef antwoord op de vragen.

1. Waar ligt het huis van Marian?
2. Welk voordeel heeft deze plek?
3. Welk nadeel heeft deze plek?
4. Waar ligt het huis van Sanne?
5. Welk voordeel heeft deze plek?
6. Welk nadeel heeft deze plek?
7. Waar ligt de volkstuin van Marian?
8. Wat is het voordeel van deze plek?
9. Is er een nadeel? Zo ja, wat?

komen + infinitief

Sanne **komt** in Amsterdam **wonen**.
Kom je naast mij **zitten**?

Les 4

3 Wat hoort bij elkaar?

A-Z

Wat betekent (ongeveer) hetzelfde?

1. theater		klussen
2. ruim		binnenkort
3. doe-het-zelven		in een paar minuten
4. over een tijdje		centrum
5. binnenstad		er niet uitzien
6. zó		groot
7. onverzorgd zijn		beëindigen
8. opzeggen		schouwburg

Aandacht voor de taal

4 Wat betekent dat?

Maak tweetallen. Kunt u de betekenis raden van de zinnen en uitdrukkingen uit de tekst op pagina 39? Gebruik de context.

1. buiten wonen (r. 13)
2. in de binnenstad is wel meer te beleven (r. 14-15)
3. groene vingers hebben (r. 29)
4. zijn tuintje zag er niet uit (r. 34)
5. een appartement opzeggen (r. 42)

5 Tja, eh ...

Sprekers beginnen hun zin vaak met een woord of woorden zonder echte betekenis. Die woorden hebben wel een functie: ze geven de spreker even de tijd om na te denken of de spreker kan ze gebruiken om over een ander onderwerp te beginnen. Onderstreep die woorden in de tekst op pagina 39.

6 Dubbele infinitief

Maak de zinnen langer. Het verbum finitum wordt steeds de nieuwe infinitief in de volgende zin. Gebruik de verba tussen haakjes.

voorbeeld
(kunnen, willen) Ik fiets naar het centrum.

Ik kan naar het centrum fietsen.

Ik wil naar het centrum kunnen fietsen.

1. (komen, willen) Ik woon in Amsterdam.

   Ik kom ...

2. (kunnen, moeten) Ze zit in het zonnetje.

3. (mogen, willen) Hij stelt een vraag.

4. (laten, willen) Hij brengt een pizza.

Aandacht voor de taal

Sanne Hee, Marian, hoe gaat het?
Marian Goed hoor!
Sanne Zeg, hoe is het nou in Amsterdam?
Marian Ja, goed, ik heb een leuk appartementje gevonden, niet in
5 het centrum, maar wel vlakbij een metrostation, dus ik zit
in een paar minuten in de binnenstad als ik wil.
Sanne Lekker zeg. Jij kunt tenminste zó naar het theater en het
museum, of naar het café... Zou ik ook wel willen!
Marian Nou ja! Jij hebt je etage toch niet voor niks ingeruild voor
10 die buitenwijk? Je hebt nu een hartstikke ruim nieuwbouw-
huis, met een tuin...
Sanne ... Wél ver weg van de leuke dingen. Ik heb het enorm naar
mijn zin hoor. Ik heb altijd al buiten willen wonen. Ik kan
nu zo de natuur in. Maar in de binnenstad is wel meer te
15 beleven, meer cultuur... Maar ja, ook drukker, daarom ben ik
ook weggegaan.
Marian Ja, het ís ook druk hoor. Ik zit dan wel dichtbij de leuke dingen, maar ik hoor ook altijd de tram, en de ringweg, ...
Sanne En je hebt natuurlijk geen tuin!
20 Marian Nee... Maar binnenkort wel, trouwens!
Sanne Hoezo, ga je nu alweer verhuizen?
Marian Nee, ik heb me laten inschrijven voor een volkstuin, net
buiten Amsterdam. Maar een half uur fietsen!

Sanne Een volkstuin? Wat is dát nou weer?
25 Marian Eh, 't is eigenlijk gewoon een stukje grond dat je kunt huren of kopen. Het is buiten
Amsterdam, dus de grond is er relatief goedkoop. Volgens mij gebruiken veel mensen
het om groenten op te verbouwen, maar ik wil gewoon bloemen enzo. Over een maand
kan ik al in mijn tuintje gaan werken!
Sanne Joh, jij hebt toch geen groene vingers!
30 Marian Nou, nee, maar ik wil wel een tuintje.
Sanne Is dat niet alleen voor bejaarden dan, die met pensioen zijn?
Marian Welnee! Er zijn daar veel meer jonge mensen, hoor! Mijn buurman daar is een jongen
die ook hier in Amsterdam woont en die zei ook dat hij gewoon in het zonnetje wil
kunnen zitten en een beetje klussen. Zijn tuintje zag er dan ook niet uit.
35 Sanne: Maar wat ga je dan doen daar?
Marian Eh, gewoon, als ik zin heb in rust en stilte ga ik daar naartoe, een beetje in de grond
wroeten, boekje lezen in het zonnetje. Lijkt me ideaal! Misschien zet ik wel wat groenten
neer. Een courgetteplant ofzo, of een appelboom... Heerlijk!
Sanne Nou, ik kom wel langs hoor!
40 Marian Moet je doen, leuk. Ik krijg een tuinhuisje met water en elektriciteit, dus ik kan ook thee
zetten.
Sanne Mens, je zou je appartement moeten opzeggen en permanent daar gaan wonen...
Marian Nee zeg, dan zit ik zó ver van de stad!

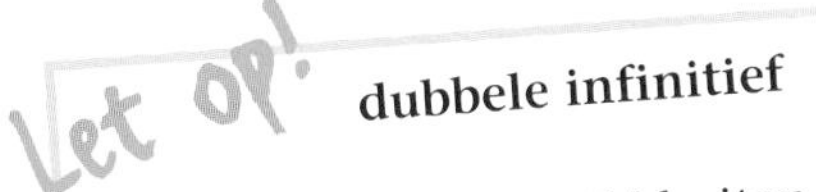

dubbele infinitief

Ik heb altijd buiten **willen wonen**.
Hij wil in de zon **kunnen zitten**.
Ze zou zó naar het centrum **willen kunnen**.

Aandacht voor de taal

 **Luisteren**  13

U gaat luisteren naar drie gesprekken. Vul het schema in: welke wensen, eisen en klachten hoort u?

	gesprek 1	gesprek 2	gesprek 3
wensen			
eisen			
klachten			

9 Hoe zeg je dat?

Luister nog een keer naar de teksten van oefening 8.
Met welke woorden geven de mensen aan dat ze een wens, eis of klacht hebben?

	gesprek 1	gesprek 2	gesprek 3
wensen		Ik zou best een luxe appartement willen...	
eisen			
klachten	Er is iets aan de hand met mijn cv-ketel...		

 **Zo veel mensen, zo veel wensen!**

Werk in tweetallen. De een gebruikt dit schema, de ander het schema op pagina 101. Maak het schema compleet door vragen te stellen aan uw medecursist. Geef antwoord op de vragen van uw medecursist. Gebruik eventueel de antwoorden van oefening 9 om een wens, eis of klacht te formuleren.

Zie ook p. 101

* = wens + = klacht ! = eis

persoon	huis	relatie	werk
Jan		* trouwen	
Marieke	* een kasteel		! veel vrije dagen
Caroline		+ nog steeds vrijgezel	

Een stapje verder

11 Droomhuis

Aan welke eisen moet uw ideale huis voldoen? Noteer uw ideeën.
Denk bijvoorbeeld aan de buitenkant en binnenkant van de woning en de omgeving van de woning. Presenteer daarna uw ideeën aan uw medecursist(en).

12 Woningenwaardering: puntensysteem

In Nederland wordt de huurprijs van woningen bepaald met een puntensysteem.
Hoe meer punten uw woning heeft, hoe hoger de huurprijs.
Kijk naar de bijlage op pagina 99 en 100.

Les 4

a Bereken het aantal punten voor uw woning. Gebruik daarvoor het puntensysteem in de bijlage.

Zie ook p. 99 en 100

b Wat is de maximale huurprijs voor uw woning volgens het puntensysteem?
Klopt dit met wat u nu betaalt?

Extra

13 Lezen

Lees de vragen. Lees daarna de tekst en geef antwoord op de vragen.

'NIEUWBOUW'

Mijn buurt is nog niet af. Het huis waarin wij gaan wonen ziet er van buiten al heel mooi uit, maar van binnen moet er nog veel gebeuren. Wij gaan over een paar maanden verhuizen naar het Land der Letteren, een nieuwbouwwijk in Almere.

Ik ken mijn buurt al wel heel goed, want ik ga er vaak kijken. In januari van dit jaar stond er nog helemaal niets en nu wonen de eerste buurtgenoten al in hun huis. De gemeente heeft ervoor gezorgd dat ze al een stoep hebben en parkeerplaatsen maar de rest van de wijk is nog een grote bouwplaats. Ik ben niet jaloers op de mensen die er nu al wonen.

Aan de muur hangt een tekening van de verschillende huizen die gebouwd worden. Omdat wij in het Land der Letteren gaan wonen, hebben de huizentypen namen als Novelle, Roman en Sonnet. Wij krijgen een Libretto.

Op de bouwplaats kom ik regelmatig lotgenoten tegen. Ik vraag me wel eens af: zou dit de nieuwe buurman zijn? We maken een praatje, en altijd komt het punt van discussie: wanneer zijn de huizen klaar? Niemand weet het precies en de bouwer houdt zich aan de oorspronkelijke datum, die waarschijnlijk allang niet meer klopt. De huizen zullen eerder klaar zijn, maar de bouwer wil geen risico lopen.

We zijn voor onze informatie gelukkig niet helemaal afhankelijk van roddels en van de bouwer. Een creatieve toekomstige bewoner heeft een prachtige website op internet gemaakt die gevuld wordt door ons allemaal.

Het is bijvoorbeeld mogelijk om alvast virtueel in je huis te wonen. Je kunt je naam invullen, je hobby's en je gezinssamenstelling. Je toekomstige buren kunnen dan alvast wennen aan het idee dat je twee grote honden en vijf kinderen hebt en dat je ervan houdt om voor de deur aan je auto te sleutelen.

Onze site heeft, naast informatie geven, ook een sociaal doel: we gaan er samen een mooie wijk van maken, waar het goed wonen is.

1. In r. 2-3 staat: '...maar van binnen moet er nog veel gebeuren'. Wat bedoelt de schrijver hiermee?
2. In r. 11-12 zegt de schrijver: 'Ik ben niet jaloers op de mensen die er nu al wonen.' Waarom is hij niet jaloers volgens u?
3. In r. 20-21 staat: 'wanneer zijn de huizen klaar?' Wat is het antwoord op deze vraag?
4. De schrijver praat over een 'website die gevuld wordt door ons allemaal' (r. 32-33). Wat bedoelt hij hiermee?
5. In r. 18 staat: 'Ik vraag me weleens af: zou dit de nieuwe buurman zijn?' Hoe kan de schrijver uitvinden wie zijn nieuwe buurman is?
6. Wat bedoelt de schrijver in r. 41 met: 'we gaan er samen een mooie wijk van maken'?
7. Waarnaar verwijst...
   - ....'er' in r. 6?
   - ....'het' in r. 22?
   - ....'die' in r. 33?

Bijzondere woningen in Nederland

Samenvatting

Eis

Hij wil per se samenwonen.
U moét nu langskomen!
Ik eis dat je je excuses aanbiedt.

Klacht

Er is iets aan de hand met mijn cv-ketel.
Ze is (absoluut) niet blij met haar flat.
Ik ben ontevreden over mijn werk.

Wens

Ik wil best een luxe appartement.
Het liefst zou ik een penthouse willen hebben!
Ze zou het fijn vinden om een groter huis te hebben.

Grammatica

Dubbele infinitief

Ik heb altijd buiten **willen wonen**.
Hij wil in de zon **kunnen zitten**.
Zij zou zó naar het centrum **willen kunnen**.

komen + infinitief

Sanne **komt** in Amsterdam **wonen**.
Kom je naast mij **zitten**?
Mijn vriend **komt** me **ophalen**.

Idioom

niet voor niks/niets
het naar je zin hebben
groenten verbouwen
groene vingers hebben
er niet uitzien
er moet nog veel gebeuren
jaloers zijn (op)
een praatje maken
zich houden aan
(geen) risico lopen

Elk huisje heeft zijn kruisje

De meeste stemmen gelden

Opstap

1 Luisteren  14

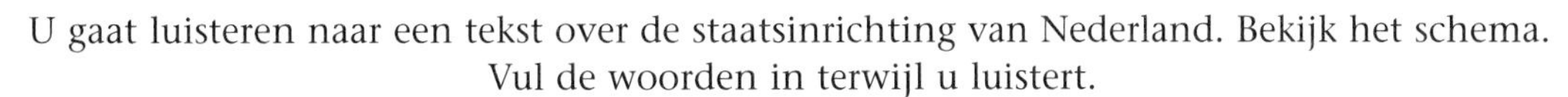

U gaat luisteren naar een tekst over de staatsinrichting van Nederland. Bekijk het schema. Vul de woorden in terwijl u luistert.

controleren ⁞ Eerste Kamer ⁞ kiezen ⁞ ministers ⁞ regering
Staten-Generaal ⁞ Tweede Kamer

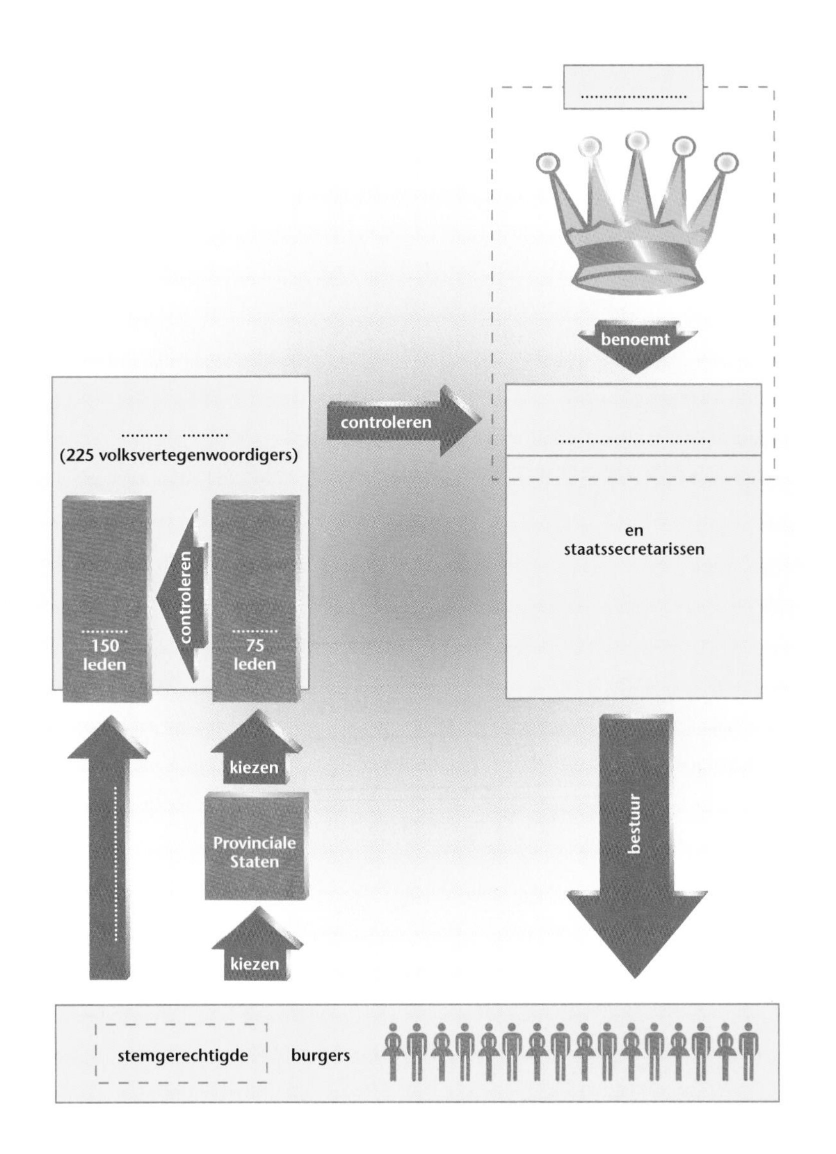

Les 5

Aandacht voor de taal

2 Lezen

Drie personen reageren op de stelling: *De monarchie is aan vernieuwing toe.*
Lees hun reacties en geef aan of zij het eens of oneens zijn met de stelling.

H.M. Kamerbeek

Ik vind dat de monarchie een zeer nuttige functie vervult. De opeenvolgende koninginnen hebben het land naar mijn mening grote diensten bewezen. Een gekozen staatshoofd zal volgens mij nooit zo goed de hele Nederlandse bevolking kunnen representeren als de koningin. Zij is immers de verpersoonlijking van een lange geschiedenis en een grote ervaring. In sommige landen, bijvoorbeeld in Denemarken, heeft het staatshoofd alleen een ceremoniële rol, maar daar ben ik geen voorstander van. Als de rol die de koningin in de politiek speelt, wordt herzien, dan leidt dat volgens mij alleen maar tot een grotere rol voor politici en ingrijpende veranderingen in ons staatsbestel.

eens / oneens

Jola van Es

Anno 2000 vind ik het persoonlijk belachelijk dat we ons land een democratie noemen, terwijl we ons staatshoofd niet zelf kunnen kiezen. Ik heb geen bezwaar tegen een vorst of vorstin als symbool voor onze nationale eenheid, maar ik ben van mening dat deze niet méér invloed zou moeten hebben op de politieke ontwikkelingen van ons land dan iedere andere Nederlandse burger.

eens / oneens

Remco Schaafsma

Ikzelf ben een warm voorstander van de monarchie. Ik vind dat het koningshuis een speciale rol vervult binnen onze maatschappij. En die rol kan naar mijn idee onmogelijk worden ingevuld door een president. Wel ben ik van mening dat de monarchie met zijn tijd mee moet gaan. Onze koningin heeft invloed op de politiek. Die invloed is helaas oncontroleerbaar en daarom moeilijk te rechtvaardigen in een moderne democratie. Een ontwikkeling in de richting van een monarchie zoals die functioneert in Zweden, zou ik dus een stap in de goede richting vinden.

eens / oneens

3 En zo denk ik erover!

De drie personen formuleren hun mening op verschillende manieren. Onderstreep in de teksten de combinaties van woorden die aangeven dat het om een mening gaat.
Kent u nog meer manieren om een mening te formuleren?
Overleg met een medecursist.

4 Bent u het ermee eens?

Zet de volgende zinnen in volgorde, van oneens naar eens.

(1) Ik ben het ermee eens. (2) Ik ben het er helemaal niet mee eens.
(3) Ik ben het er eigenlijk wel mee eens. (4) Ik ben het er helemaal mee eens.
(5) Ik ben het er absoluut niet mee eens. (6) Ik ben het er niet mee eens.
(7) Ik ben het er eigenlijk helemaal niet mee eens.

Aandacht voor de taal

 **Luisteren**  15

U gaat luisteren naar een gesprek tussen Yvette en Henk. Ze praten over de rol van de monarchie.

a Lees de vragen. Luister naar de tekst en geef antwoord.

1. In het begin van het gesprek zijn Henk en Yvette
   - het eens met elkaar.
   - het niet eens met elkaar.
2. Op het eind van het gesprek zijn Henk en Yvette
   - het eens met elkaar.
   - het niet eens met elkaar.
   - het nog niet helemaal eens met elkaar.
3. Yvette twijfelt aan de woorden van Henk. Welke woorden gebruikt ze om dat duidelijk te maken?

4. Welke twee zinnen gebruikt Henk om duidelijk te maken dat hij overtuigd is van zijn mening?
   - Dat denk ik niet.
   - Natuurlijk wel!
   - Ik vraag het me af.
   - Ik weet het niet.
   - Zeker weten!

Les 5

b Hieronder vindt u elementen uit de discussie tussen Yvette en Henk. Luister nog een keer naar de tekst en zet de elementen in de juiste volgorde. Noteer ze daarna in het schema.

- mening/stelling verdedigen met een argument
- mening/stelling in twijfel trekken
- mening geven/stelling poneren
- vasthouden aan mening/stelling en argument toevoegen
- instemmen met mening/stelling
- tegenargument geven

Henk	Yvette

Een stapje verder

6 Discussiëren

Kies bij elk groepje zinnen de juiste titel.

mening geven/stelling poneren ⁞ in twijfel trekken
mening/stelling verdedigen met argument ⁞ tegenargument geven
vasthouden aan mening/stelling ⁞ argument toevoegen ⁞ instemmen ⁞ oneens blijven

....

Ik weet het wel zeker, want ...
Dat vind ik echt, want ...
Zeker weten, want ...
Dat meen ik echt, want ...

....

Toch vind/denk/geloof ik dat ...
Toch blijf ik erbij dat ...
Toch ben ik ervan overtuigd dat ...
Toch blijf ik van mening dat ...

....

Ik ben het niet met je eens want/omdat ...
Dat denk ik niet, want ...
Dat vind ik niet, want ...
Ik vind van niet, want ...
Nou, maar volgens mij ...

....

Daar heb je gelijk in.
Dat vind/denk/geloof ik ook.
Zeker weten!
Daar ben ik het helemaal mee eens.
Dat klopt.
Misschien heb je gelijk.

....

Ik vind dat ...
Ik denk dat ...
Ik geloof dat ...
Volgens mij ...

....

En trouwens ...
Bovendien ...
En verder ...
Ook ...

....

Vind/denk/geloof je dat echt?
Nou, ik weet niet hoor.
Ach, ik weet het niet.
Ik vraag het me af, hoor.
Dat betwijfel ik.
Hoe kom je daar nou bij?
Hoezo (dat dan)?

....

Toch ben ik het niet met je eens.
Toch kun je me er niet van overtuigen dat ...
Toch vind/denk/geloof ik niet dat ...
Toch ben ik het daar niet mee eens.

Woordvolgorde in de bijzin
Ik vind *dat* de monarchie aan vernieuwing toe **is**.

7 Daar heb je gelijk in.

Kies (of bedenk) een stelling. Maak dan tweetallen en discussieer over twee stellingen. Gebruik daarbij het schema van oefening 5.

- Lezen is beter voor kinderen dan televisie kijken.
- Roken moet verboden worden.
- Geweld op televisie is de oorzaak van geweld onder jongeren.
- Internet is een goed middel om een huwelijkspartner te vinden.
- Missverkiezingen zijn vrouwonvriendelijk.
- Nederland heeft een goed drugsbeleid.
- Kinderen moeten later voor hun ouders zorgen.
- ...

Extra

8 Luisteren  16

U gaat luisteren naar Katrien en Joris. Zij reageren op de volgende stelling:

In veel grote steden is hondenpoep op straat een groot probleem.
Daarom moeten hondenbezitters worden verplicht zelf de poep van hun hond op te ruimen.

Lees de vragen. Luister naar de tekst en geef antwoord op de vragen.

1. Wat is de mening van Katrien? En wat vindt Joris?
   Katrien:
   Joris:
2. Welke argumenten geven ze voor hun mening?
   Katrien:
   Joris:
3. Wat is hun conclusie?
   Katrien:
   Joris:

9 Onderstreep en vul in.

Luister nog een keer naar de tekst.

A-Z

a Onderstreep de (combinaties van) woorden die Katrien en Joris gebruiken.

Ten eerste/tweede... ⁞ Ik vind (dat)... ⁞ Ten slotte ... ⁞ En daarbij... ⁞ Volgens mij ...
In de eerste/tweede plaats... ⁞ Ik denk dat ... ⁞ Aan de ene kant/aan de andere kant ...
Daarom ... ⁞ Naar mijn mening ... ⁞ Alles bij elkaar genomen ...
Ik ben van mening dat... ⁞ Om te beginnen ..., verder... ⁞ Kortom ...
Als je het mij vraagt ... ⁞ Enerzijds / anderzijds ... ⁞ Dus ...

b Zet de (combinaties van) woorden in het schema.

Mening/stelling	Argumenten	Conclusie

10 Monoloog

Kies een stelling uit oefening 7 of bedenk er zelf een. Bereid een korte monoloog voor. Gebruik daarbij het schema en de (combinaties van) woorden uit oefening 9.

Nederland – *ander*land

Sociaal Economische Raad (SER)
De SER is het adviesorgaan van de regering op sociaal en economisch gebied. Voor actuele informatie, zie www.ser.nl.

Overlegeconomie
In een overlegeconomie is er regelmatig overleg tussen belangengroepen – zoals werknemers- en werkgeversorganisaties – en de overheid over sociaal-economische zaken.
Een voorbeeld is de Sociaal Economische Raad (SER). Daarin zitten vertegenwoordigers van werkgevers, van werknemers en van de overheid.

Economische orde
In elk land speelt de vraag: wat moet er worden geproduceerd, hoeveel, op welke manier, van welke kwaliteit, waar, wanneer en voor wie? De manier waarop een land de beslissingen van miljoenen consumenten en producenten, de overheid en de belangenorganisaties op elkaar afstemt, bepaalt de economische orde in dat land.

Het Poldermodel
Het poldermodel is een systeem van economische orde. De kenmerken van dat systeem zijn:

- overleg tussen de overheid en de sociale partners (overlegeconomie) met als resultaat loonmatiging;
- beheersing van de publieke financiën, met als resultaat een afname van het financieringstekort;
- het terugdringen van de collectieve lastendruk;
- het versterken van de marktwerking.

Eind jaren negentig wordt door de internationale pers veel geschreven over het Nederlandse poldermodel. Men is enthousiast over de werking ervan; het binnenlands product groeit, de werkgelegenheid groeit en het financieringstekort neemt af. Wat dat betreft gaat het in Nederland inderdaad beter dan in veel andere Europese landen. Maar op het gebied van bijvoorbeeld het inkomen per inwoner, de belastingdruk en de hoogte van de overheidsschuld is er nog heel wat te verbeteren.

Financieringstekort
Het totaal aan uitgaven van de overheid minus de totale ontvangsten van de overheid is het begrotingstekort. (aangenomen dat de uitgaven hoger zijn dan de ontvangsten). Het begrotingstekort minus de aflossing op de staatsschuld is het financieringstekort. Het financieringstekort laat zien hoeveel de staatsschuld in een jaar toeneemt, dus:

- totaal aan uitgaven van de overheid – totaal aan ontvangsten van de overheid = begrotingstekort
- begrotingstekort – aflossing op de staatsschuld = financieringstekort

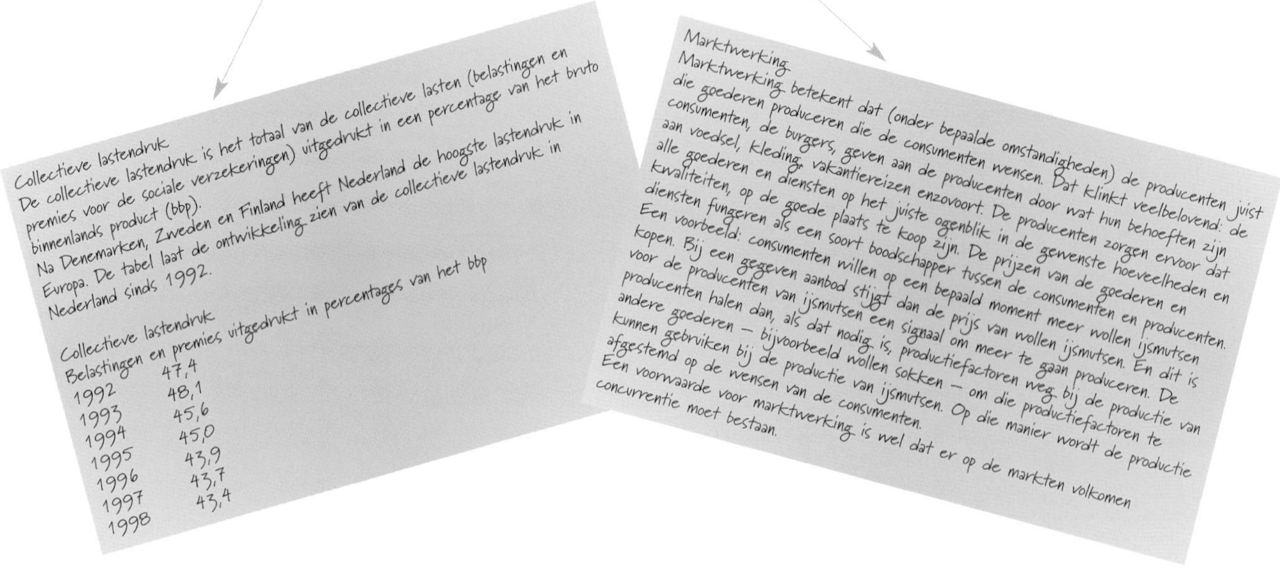

Collectieve lastendruk
De collectieve lastendruk is het totaal van de collectieve lasten (belastingen en premies voor de sociale verzekeringen) uitgedrukt in een percentage van het bruto binnenlands product (bbp).
Na Denemarken, Zweden en Finland heeft Nederland de hoogste lastendruk in Europa. De tabel laat de ontwikkeling zien van de collectieve lastendruk in Nederland sinds 1992.

Collectieve lastendruk
Belastingen en premies uitgedrukt in percentages van het bbp

Belastingen en premies	47,4
1992	48,1
1993	45,6
1994	45,0
1995	43,9
1996	43,7
1997	43,4
1998	

Marktwerking
Marktwerking betekent dat (onder bepaalde omstandigheden) de producenten juist die goederen produceren die de consumenten wensen. Dat klinkt veelbelovend: de consumenten, de burgers, geven aan de producenten door wat hun behoeften zijn aan voedsel, kleding, vakantiereizen enzovoort. De producenten zorgen ervoor dat alle goederen en diensten op het juiste ogenblik in de gewenste hoeveelheden en kwaliteiten, op de goede plaats te koop zijn. De prijzen van de goederen en diensten fungeren als een soort boodschapper tussen de consumenten en producenten.
Een voorbeeld: consumenten willen op een bepaald moment meer wollen ijsmutsen kopen. Bij een gegeven aanbod stijgt dan de prijs van wollen ijsmutsen. En dit is voor de producenten van ijsmutsen een signaal om meer te gaan produceren. De producenten halen dan, als dat nodig is, productiefactoren weg bij de productie van andere goederen – bijvoorbeeld wollen sokken – om die productiefactoren te kunnen gebruiken bij de productie van ijsmutsen. Op die manier wordt de productie afgestemd op de wensen van de consumenten.
Een voorwaarde voor marktwerking is wel dat er op de markten volkomen concurrentie moet bestaan.

Meer info: www.nrc.nl / economie voor jou

Samenvatting

Grammatica

Woordvolgorde in de bijzin

Ik denk *dat* hondenpoep een groot probleem **is**.

Ik ben vóór het koningshuis *omdat* het een speciale rol in onze samenleving **vervult**.

Discussiëren

A

- mening geven/stelling poneren

Ik vind dat ...
Ik denk dat ...
(...)

- mening/stelling verdedigen met een argument

Ik weet het wel zeker, want ...
Dat vind ik echt, want ...
(...)

- vasthouden aan mening/stelling en argument toevoegen

Toch vind/denk/geloof ik dat ...
Toch blijf ik erbij dat ...
(...)

B

- mening/stelling in twijfel trekken

Vind/denk/geloof je dat echt?
Nou, ik weet het niet, hoor!
(...)

- tegenargument geven

Ik ben het niet met je eens, want/omdat ...
Dat denk ik niet, want ...
(...)

- instemmen met mening/stelling

Daar heb je gelijk in.
Dat vind/denk/geloof ik ook.
(...)

Les 5

Monoloog

Mening geven/ stelling poneren

Ik vind (dat) ...
Ik denk dat ...
(...)

Argumenten geven

In de eerste/tweede plaats ...
Ten eerste/tweede ...
(...)

Conclusie trekken

Dus ...
Kortom ...
(...)

Idioom

een dienst bewijzen
een voorstander zijn van ...
leiden tot
bezwaar hebben tegen
invloed hebben op
een rol vervullen
van mening zijn
een stap in de goede richting
overleggen met iemand
het ermee eens zijn
het er niet mee eens zijn
overtuigd zijn van
instemmen met
zeker weten
ik blijf erbij dat ...

Hoge bomen vangen veel wind

Multiculti!
Opstap

Typisch!

Volgens Nederlanders zijn Belgen dom en volgens Belgen zijn Nederlanders gierig.

Welke stereotypen bestaan er over uw land?

Welke stereotypen bestaan er over uw buurlanden?

Les 6

Aandacht voor de taal

2 Luisteren  17

U gaat luisteren naar een interview.
Daarin wordt verteld wat Nederlanders en Belgen van elkaar weten en wat ze van elkaar vinden.

a Lees eerst de volgende inleiding.

De domme Belg en de gierige Nederlander

De stereotypen bestaan nog altijd. Dat blijkt uit een onderzoek dat de Belgisch-Nederlandse Vereniging liet uitvoeren door Nederlandse en Belgische universiteiten.

Aan 3000 Belgische en Nederlandse jongeren werd gevraagd wat ze van elkaar vinden en weten. Philippe Boen van de KU Leuven vertelt meer over het onderzoek.

b Lees de onderstaande stellingen. Luister naar de tekst.
Kruis aan: zijn de stellingen waar of niet waar?

	waar	niet waar
1. Een voorbeeld van een makkelijke vraag was: Wat is de grootste haven in Nederland?		
2. De Nederlanders scoorden het best op de kennistest.		
3. Meer dan de helft van de Nederlanders wist niet dat de rivier de Rijn niet door België stroomt.		
4. Belgische jongeren vinden Nederland onder andere democratisch en rijk.		
5. Nederlanders zijn positiever over de Belgen dan over België.		
6. Er zijn Nederlanders die Belgen dom vinden.		
7. Belgen hebben minder kritiek op hun eigen land dan Nederlanders.		
8. Belgen zijn veel positiever over Nederlanders dan over mensen uit Zuid-Europa.		

Aandacht voor de taal

3 Woordenschat

A-Z

a Welke adjectieven uit de luistertekst kun je gebruiken om een land te beschrijven, welke adjectieven kun je gebruiken om een persoon te beschrijven en welke adjectieven kun je voor geen van beide gebruiken?

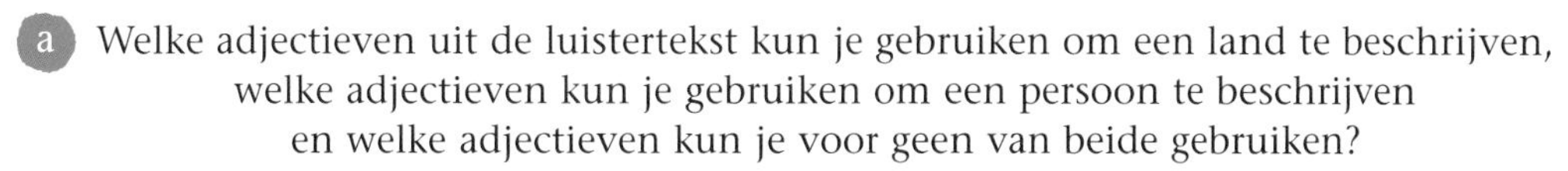

gierig ⁞ welvarend ⁞ democratisch ⁞ huidig ⁞ vriendelijk ⁞ onhandig
dom ⁞ eenvoudig ⁞ gunstig ⁞ kritisch ⁞ geografisch ⁞ algemeen

een land	een persoon	geen van beide

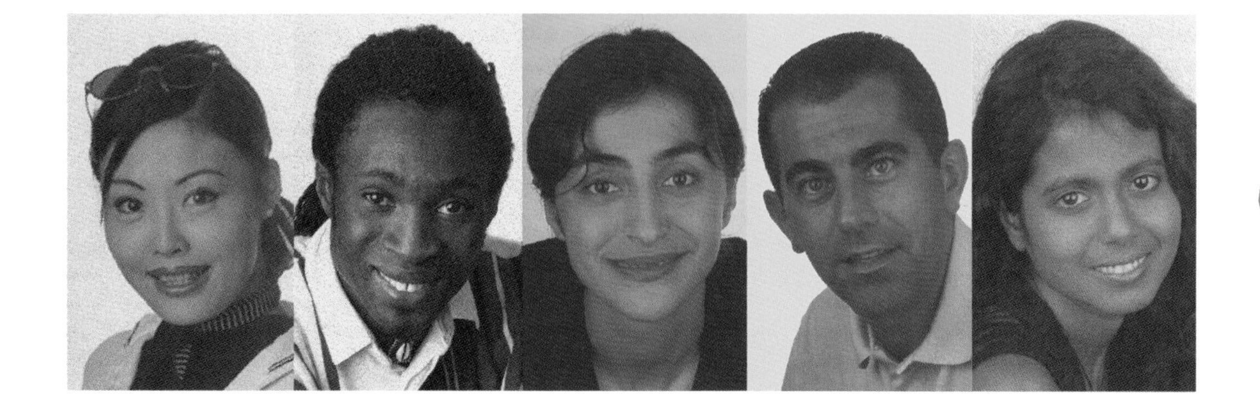

Les 6

b Werk in tweetallen. Bedenk bij vijf van de bovenstaande adjectieven goede voorbeeldzinnen en schrijf die op.

Let op!

De vorm van het adjectief

de gierige Nederlander
een gierige Nederlander
(de) gierige Nederlanders

de Nederlander is gierig

het opmerkelijke resultaat
een opmerkelijk resultaat
(de) opmerkelijke resultaten

het resultaat is opmerkelijk

Aandacht voor de taal

4 Gegevens beschrijven

Vul de woorden uit de luistertekst in.

van de ⁝⁝ kant ⁝⁝ gemiddeld ⁝⁝ relatief ⁝⁝ er tussenin ⁝⁝ beduidend

1. Aan 3000 Belgische en Nederlandse jongeren werd gevraagd wat ze van elkaar vinden en weten.
   Veel vragen waren .... eenvoudig maar er waren ook hele moeilijke vragen bij.
2. De Nederlandstalige Belgen scoorden .... hoger dan de Franstalige Belgen.
3. De Nederlanders lagen ....
4. 46% .... Nederlanders slaagde voor de test.
5. .... was de score van alle jongeren bij elkaar aan de lage ....

over het algemeen ⁝⁝ meer dan de helft ⁝⁝ minderheid ⁝⁝ opmerkelijk ⁝⁝ blijkt

6. .... zijn Belgen redelijk positief over Nederland.
7. Het is .... dat ze over de Nederlanders niet zo positief zijn.
8. 54%, dus .... van de Nederlanders vindt de Belgen vriendelijke mensen.
9. Een .... vindt Belgen niet zo vriendelijk.
10. Uit de gegevens .... ook dat Belgen de voorkeur geven aan Zuid-Europese volken.

Let op!

Onregelmatige vormen

adjectief	*comparatief*	*superlatief*
veel	meer	meest
weinig	minder	minst
goed	beter	best
graag	liever	liefst
ver	verder	verst
zwaar	zwaarder	zwaarst
duur	duurder	duurst

Een stapje verder

5 Hoe besteden Nederlanders hun tijd?

Tijdsbesteding van Nederlanders tussen de 35 en 49 jaar

Taken	Aantal uren per week		
	1975	1985	1999
arbeid	19	21	24
huishoudelijke en zorgtaken	22	24	23
slapen, eten en lichamelijke verzorging	78	76	75
vrije tijd	49	47	46

a Beschrijf bovenstaande tabel samen met een medecursist. Formuleer om de beurt een zin op basis van de gegevens uit de tabel. Gebruik daarbij de volgende termen:

tamelijk

ten opzichte van

relatief veel/weinig — stijgen/dalen — opmerkelijk — opvallen — toenemen/afnemen — redelijk veel/weinig

b Bespreek wat u vindt van de resultaten in de tabel. Vertel elkaar ook of de resultaten overeenkomen met uw eigen tijdsbesteding: hoe ziet uw week eruit?

6 Project

a Lees de volgende tekst.

Les 6

Die eeuwige tulpen en klompen

Buitenlanders denken als ze de naam "Amsterdam" horen vooral aan de liberale leefwijze van de Nederlanders. Dat is een van de conclusies van een onderzoek van het ministerie van Buitenlandse Zaken. Het is uitgevoerd onder belangrijke personen in de VS, Duitsland, Frankrijk, Groot-Brittannië en België. Het ministerie wilde weten hoe het buitenland denkt over Nederland en zijn inwoners.

Veel mensen noemden: progressieve opvattingen, internationale oriëntatie en talent voor handel. Toch bestaat het beeld van de tulpen, klompen en windmolens jammer genoeg ook nog steeds.

Amerikanen weten het minst over Nederland, behalve dat je er voor drugs en seks naartoe kunt. Europeanen omschrijven Nederlanders als een liberaal en multicultureel volk, dat aardig en behulpzaam is.

Op vakantie zijn Nederlanders erg opvallend. Ze dragen oranje t-shirts en trekken in caravans volgeladen met levensmiddelen door Europa. Ze zijn ' luidruchtig, arrogant en niet of weinig geïnteresseerd in een andere cultuur', aldus de onderzoekers. Buitenlandse zakenmensen zijn positief over de talenkennis van de Nederlanders. Maar pas op! Vooral Duitsers en Fransen weten dat ze in Nederland moeten letten op de kleine lettertjes in contracten. Belgische zakenmensen vinden dat Nederlanders eigenwijs zijn en het altijd beter weten. Amerikanen klagen over traagheid en bureaucratie.

Over het algemeen hebben buitenlanders een 'redelijk positief' beeld van Nederland.

b In de tekst komt een aantal stereotypen over Nederland en de Nederlanders voor. Aan welke stereotypen denkt u vooral bij Nederland en de Nederlanders? Zijn uw ideeën echt waar? Zoek samen met een medecursist bewijs, bijvoorbeeld in de media of op internet en schrijf een verslagje.

Extra

7 Quiz

(a) Geef antwoord op de volgende vragen.

1. Weet u de naam van de grootste haven in Nederland/België?
2. Weet u de naam van de koning/koningin van Nederland/België?
3. Weet u de namen van de belangrijkste rivieren in Nederland/België?
4. Weet u de naam van de hoogste berg in Nederland/België?

(b) Bedenk nu zelf vijf vragen over België en Nederland en stel ze aan een medecursist.
(U moet natuurlijk zelf de antwoorden weten!)
Denk bijvoorbeeld aan de volgende aspecten:

- sport
- geografie
- handel en industrie
- geschiedenis
- politiek
- kunst

1.
2.
3.
4.
5.

Lezen

A-Z

Multiculti!

Nadat hij 15 jaar geleden vanuit Iran naar Nederland vluchtte, volgde Kader Abdollah een inburgeringscursus. Daar kreeg hij les van een, volgens hem, lelijke 38-jarige Nederlandse vrouw die er helemaal niet modieus uitzag. Zij legde hem uit dat je 'als buitenlander je handdoeken en ondergoed het beste bij de Zeeman kunt kopen, dat de Aldi veel goedkoper is dan de Albert Heijn en dat je niet te lang onder de douche mag staan. Voordat je het weet, kun je de gasrekening niet meer betalen'.
Abdollah is inmiddels een succesvol schrijver, maar met zijn beeld van de Nederlandse vrouw is het nooit meer helemaal goed gekomen. Hij gaf zaterdag de openingslezing op een bijeenkomst van de K.L. Poll stichting voor Onderwijs, Kunsten en Wetenschappen over 'de vreemde trekken in het uiterlijk van Nederland'. Dat zijn er nogal wat. Blokker verkoopt boeddhabeeldjes. De Bijenkorf organiseert de ene exotische week na de andere. En in *Allerhande* stond onlangs een duizend-en-een-nacht-recept: couscous met kerriesaus. Maar helaas, Marokkanen eten geen kerrie en in India is couscous een onbekend gerecht.
Vreemd of eigen? Typisch Hollands of typisch Marokkaans? Dat verschil is niet meer zo duidelijk. De moderne samenleving is het product van een mengsel van verschillende culturen. En eigenlijk is dat al heel lang zo.
Alle grote gebouwen in Amsterdam zijn beïnvloed door internationale ontwikkelingen in de architectuur. Berlage liet zich bij het ontwerpen van zijn beroemde beurs inspireren door het dorpsplein van een Italiaanse stad. En onze mooiste parken zijn gemaakt zoals de parken in Frankrijk en Engeland.
Ook de natuur wordt steeds exotischer. In het Vondelpark leven subtropische halsbandparkieten en in het IJ en in het Noordzeekanaal worden exotische vissen uit het water gehaald. Door intensiever handelsverkeer worden vreemde soorten naar Nederland gebracht en de natuur gaat haar gang. En de klimaatsverandering zal het moeilijker maken vast te stellen welke planten en dieren wel of niet typisch Nederlands zijn.
Zodra Zarouali is een kinderboekenschrijfster die in Marokko is geboren. Zij vertelde over haar ervaringen met de verschillen tussen de Marokkaanse en Nederlandse cultuur. 'Zal ik je even helpen met opruimen?' vraagt haar visite vaak. Dat zijn dan geen Nederlanders maar Marokkanen die de Nederlandse rommel in haar woonkamer verschrikkelijk vinden.
Een speelhoekje met speelgoed voor de kinderen zul je bij de meeste Marokkanen niet vinden. Een eethoek met een tafel ook niet. En als er bezoek komt, vertrekken de mannen naar een aparte kamer. Kussens, tapijten, donker hout en vooral veel kleuren zijn voorbeelden van een goede Marokkaanse smaak.
Maar ook in zulke smaken, stijlen en tradities begint door vreemde invloeden verandering te komen. Jonge Marokkanen kopen steeds vaker een bankstel. Doordat veel Nederlandse Marokkanen een huis laten bouwen in Marokko worden daar tegenwoordig steeds meer woningen gebouwd die niet typisch Nederlands zijn, maar ook niet typisch Marokkaans.

Les 6

Extra

9 Zoek de synoniemen.

Zoek de synoniemen van de onderstaande woorden en uitdrukkingen op in de tekst.

	woorden in de tekst	regelnummer
hip		
sneller dan je denkt		
intussen		
een heleboel		
pas geleden		
(de) maatschappij		
bepalen		
(de) troep		
vreselijk		
gaan		

10 Waar of niet waar?

Lees de zinnen en kruis aan: zijn de zinnen waar of niet waar?

	waar	niet waar
1. Kader Abdollah heeft inmiddels zijn mening over Nederlandse vrouwen veranderd.		
2. Couscous met kerriesaus is een Marokkaans gerecht.		
3. Je kunt de ontwikkelingen in de natuur niet gemakkelijk beïnvloeden.		
4. De woonkamer van Zodra Zarouali is typisch Marokkaans.		

11 Discussie

a Vindt u dat de Nederlandse en Belgische vrouwen zich modieus kleden?

b In r. 33-39 en r. 49-64 wordt een aantal voorbeelden gegeven van vreemde invloeden in Nederland. Kunt u meer voorbeelden van vreemde elementen en invloeden in de Nederlandse (of Belgische) samenleving noemen? En voorbeelden van vreemde invloeden in uw eigen land?

c Wat vindt u ervan dat culturen steeds meer op elkaar gaan lijken?

Nederland – *ander*land

Kaaskoppen?

Les 6

Nederlandse export van melk en zuivelproducten in 1998 (x miljoen kilogram)				
	Export: Europese Unie	Export: overige landen	Totale export	Toename/afname ten opzichte van 1997
Melk	206	27	233	+ 31%
Boter	95	35	130	+ 4%
Kaas	407	71	478	- 10%

Nederland is nog steeds een belangrijke exporteur van melk- en zuivelproducten. De productie van kaas daalde echter voor het eerst sinds jaren. Doordat het in Rusland economisch slecht ging, nam de verkoop flink af. Ook binnen de Europese Unie daalde de kaasconsumptie, terwijl vanaf 1990 nog met een jaarlijkse stijging van 2% rekening werd gehouden.
De productie van boter nam toe. Ondanks de sterk verminderde export van boter naar Oost-Europa werd in 1998 de positieve ontwikkeling van de afgelopen jaren vastgehouden. Dit werd veroorzaakt doordat zowel de uitvoer van boter naar de EU (met name Frankrijk, Duitsland en Italië) als de export naar overige landen steeg. Dit kwam vooral door de stijging van de export naar o.a. Iran, Egypte en Marokko.
Ook de export van room en consumptiemelk gaf in 1998 een positief resultaat te zien. Bijna 90% van deze producten werd uitgevoerd naar de EU, met name naar België en Duitsland.

Samenvatting

Grammatica

De trappen van vergelijking

Attributief gebruik

	adjectief		**comparatief**		**superlatief**	
	de klein**e**	kans	de kleiner**e**	kans	de kleinst**e**	kans
	een klein**e**	kans	een kleiner**e**	kans	Ø	
	het klein**e**	aantal	het kleiner**e**	aantal	het kleinst**e**	aantal
!	een klein	aantal	een kleiner	aantal	Ø	
	(de) klein**e**	aantallen/ kansen	(de) kleiner**e**	aantallen/ kansen	(de) kleinst**e**	aantallen/ kansen

Predicatief gebruik

de kans is	klein	de kans is	kleiner	de kans is	het kleinst
het aantal is	klein	het aantal is	kleiner	het aantal is	het kleinst

Idioom

in verhouding tot
vergeleken met
aan de lage kant
over het algemeen
ten opzichte van
de voorkeur geven aan
op basis van
jammer genoeg
klagen over
voordat je het weet
Het is nooit goed gekomen met ...
zijn/haar gang gaan
Daar komt verandering in.
rekening houden met

De pot verwijt de ketel
dat hij zwart ziet

Een beetje zappen, een beetje surfen ...

Opstap

Les 7

Welke media gebruikt u?

Noteer hoeveel tijd u aan welk medium besteedt. Noteer ook het doel waarvoor u het medium gebruikt.

medium	uren per week	doel

Aandacht voor de taal

2 Luisteren  18

U hoort een gesprek tussen een moeder (Gerarda) en haar dochter (Andrea).
Lees de vragen. Luister naar de tekst en kies het juiste antwoord.

1. Wat zou Gerarda wel willen doen op de computer?
   a) Frans leren en internetten.
   b) een routeplanner gebruiken en Frans leren.
   c) e-mailen en Frans leren.
2. Wat voor advies geeft Andrea?
   a) Je kunt het beste zelf een computer kopen.
   b) Je kunt het beste een boek kopen en daarmee achter de computer gaan zitten.
   c) Je kunt je het beste laten adviseren door een expert, bijvoorbeeld in een computerwinkel.
   d) Je kunt beter niet meer beginnen met computeren als je al ouder bent.
3. Heeft Gerarda volgens u een computer nodig? Waarom wel/niet?

3 Met andere woorden ...

Luister nog een keer naar de tekst. Wat betekenen deze uitdrukkingen?
Schrijf de betekenis in uw eigen woorden op.

1. Wat zijn ze al ver hè, die kleintjes!
2. Rommelen op de computer.
3. Iets onder de knie hebben.
4. Hoe pak ik dat aan?
5. Iets niet in de gaten hebben.

Aandacht voor de taal

4 De computer

A-Z

a Schrijf bij elk nummer in het plaatje het juiste woord. Kent u de betekenis van de woorden die overblijven?

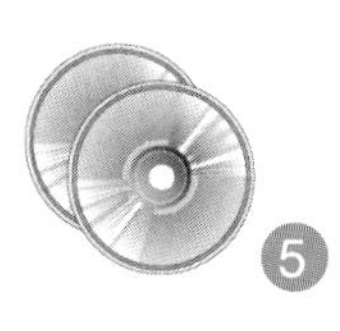

6 uitgeverij@intertaal.nl

de muis	de printer	het apenstaartje
het toetsenbord	het document	de boxen
het beeldscherm / de monitor	het bestand	de diskette
het geheugen	de cd-rom	het muismatje
de kabel	het tekstverwerkingsprogramma	

b Welke woorden horen er nog meer bij?
Overleg met een medecursist.

Aandacht voor de taal

5 Wat kun je ermee doen?

Schrijf het juiste woord naast de beschrijving.

e-mail ∷ muis ∷ document ∷ cursor
geheugen ∷ internet ∷ tekstverwerkingsprogramma ∷ toetsenbord

1. Een wereldwijd netwerk om informatie te zoeken, om e-mail te versturen enz. ....
2. Hier kun je teksten mee schrijven, bewaren, en veranderen. ....
3. Hier kun je tekst mee typen. ....
4. Een streepje of blokje op het beeldscherm dat aangeeft waar je in de tekst gebleven bent. ....
5. Dit is nodig om bestanden te kunnen bewaren. ....
6. Het versturen en ontvangen van berichten via internet. ....

PERSONAL COMPUTER

Hij vroeg zijn computer:
"Waar vind ik geluk?"
Het antwoord was simpel:
het rotding ging stuk.

Ronald de Waal in: *IK COMPUTER*, Kofschip-Kring, Hilversum

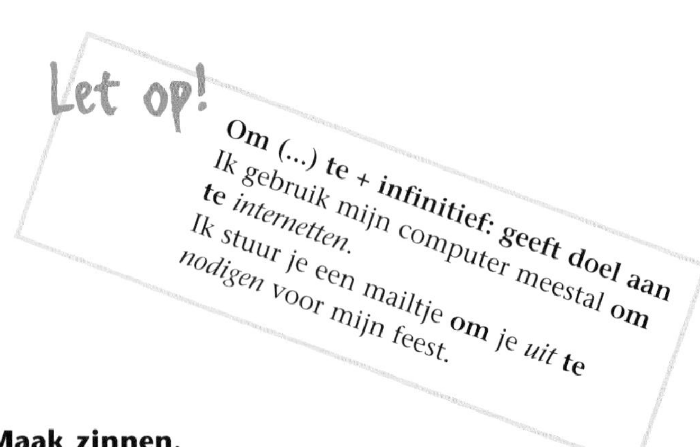

Let op!
Om (...) te + infinitief: geeft doel aan
Ik gebruik mijn computer meestal **om te** *internetten*.
Ik stuur je een mailtje **om** je *uit* **te** *nodigen* voor mijn feest.

6 Maak zinnen.

Gebruik om (...) **te + infinitief.**

1. werken ∷ geld verdienen
2. geld nodig ∷ computer kopen
3. cursus ∷ Nederlands leren
4. auto ∷ ...
5. agenda ∷ ...
6. ... ∷ ...

Aandacht voor de taal

7 Lezen

(a) Lees de brieven uit de rubriek 'Vraag het maar aan Betty'.

Vraag het maar aan Betty

A

Hoi Betty,
Sinds 3 maanden ben ik afgestudeerd ingenieur. Iedereen zegt: de banen liggen voor het oprapen, maar ik heb nog geen baan gevonden! Ik heb al tientallen sollicitaties de deur uit gedaan, maar word zelden op gesprek uitgenodigd. De enkele keren dat ik wel op gesprek mocht komen, werd ik uiteindelijk niet gekozen. Op mijn vraag waarom niet, antwoordden de meeste bedrijven 'dat ik te weinig ervaring had' (nogal logisch, net afgestudeerd!). Een keer zeiden ze dat ik niet commercieel en initiatiefrijk genoeg was voor de functie. Wat doe ik verkeerd?
Groeten, Bart

B

Hallo Betty,
Ik ben een jonge vrouw van 35 jaar. Ik heb al een tijdje allerlei vage klachten. Zo heb ik altijd last van mijn onderrug. Ik heb ook steeds kramp in mijn vingers en bijna dagelijks last van een stijve nek. Ik ben al naar de huisarts geweest en die zegt dat het aan stress ligt. Ik heb wel een drukke baan, maar echt niet zoveel stress. Toch adviseert hij me om 'een paar weken rustig aan te doen'. Met zo'n advies kan ik niks! Wat denk jij dat ik moet doen?
Alvast bedankt,
Maaike

C

Beste Betty,
Mijn man en ik wonen al jaren naar volle tevredenheid in ons rijtjeshuis. Sinds kort hebben we echter nieuwe buren. Het zijn aardige mensen, maar ze maken veel lawaai. Ze hebben bijvoorbeeld vaak luidruchtig bezoek, draaien altijd muziek en maken vooral veel herrie in de tuin. Mijn man zegt dat het wel minder zal worden of dat ik er wel aan zal wennen, maar ik word er echt gek van. Ik zou er het liefst iets van zeggen, maar ik wil geen ruzie krijgen. Hoe kan ik dit het beste aanpakken?
Met vriendelijke groeten,
mw. De Haas

(b) Zou u ook zo'n brief aan een tijdschrift schrijven om advies te vragen? Zo niet, aan wie vraagt u dan wel advies?

Aandacht voor de taal

8 Wat hoort bij elkaar?

 Lees de adviezen. Welk advies past bij welke brief uit oefening 7?

1
Ten eerste moet je geduldiger zijn. Onderzoek toont aan dat pas-afgestudeerden meestal enkele maanden naar een baan moeten zoeken voordat ze er een vinden! Ten tweede is het belangrijk dat je weet wat een bedrijf van zijn nieuwe werknemer verwacht. Je zou vooraf de werkgever kunnen bellen en om extra informatie vragen. Zo kun je op zijn behoeften inspringen in een brief of gesprek. Als laatste zou je een sollicitatiecursus kunnen volgen bij het arbeidsbureau. Daar leer je succesvolle schrijf- en gesprekstechnieken.
Succes!

2
U bent niet de enige die last heeft van zijn buren. Geluidsoverlast is woonprobleem nummer 1 in Nederland! Maar waarschijnlijk veroorzaken uw buren niet opzettelijk overlast. Vaak hebben mensen het niet eens in de gaten! Vooral als uw buren best aardig zijn, zou u ze gewoon eens kunnen uitnodigen voor een kop koffie. U kunt dan subtiel het gesprek op de gehorigheid van de huizen brengen, of als u dat durft, vragen of ze wat minder lawaai zouden willen maken. Zolang u niet boos wordt, zullen uw buren vast rekening met u willen houden.

3
Kramp en spierpijn kunnen veroorzaakt worden door iets externs, zoals een slechte matras of bureaustoel, waardoor je een verkeerde lichaamshouding aanneemt (RSI!). 'Vage klachten' hebben echter net zo vaak een geestelijke oorzaak, wat overigens niet betekent dat de klacht niet echt is of dat er niets aan te doen is! Als ik jou was, zou ik proberen uit te vinden waar de klachten vandaan komen. Zijn ze bijvoorbeeld erger wanneer je een dag achter de pc hebt gezeten of een vervelende klus moet doen? Pas als je dit weet, kun je de symptomen bestrijden door de oorzaak weg te nemen.

b Wat vindt u van de adviezen? Vraag het ook aan een medecursist.

Wat vindt u/vind jij van de adviezen?
– Ik vind ze over het algemeen wel goed, behalve …
Ik vind ze een beetje raar. …

9 Advies vragen en geven.

Lees de brieven van oefening 7 en 8 nog een keer.
Welke woorden en uitdrukkingen worden hier gebruikt om advies te vragen en te geven?

advies vragen	advies geven

Aandacht voor de taal

10 Uitdrukkingen

Noteer de uitdrukkingen uit de brieven die u wilt leren gebruiken.

voor het oprapen liggen
daar kan ik niks mee
...

11 Luisteren

U hoort twee gesprekken waarin iemand om advies vraagt. Lees de vragen. Luister naar de gesprekken en geef antwoord op de vragen.

1. Waar vinden de gesprekken plaats?

gesprek 1

gesprek 2

2. Waarover wordt advies gevraagd?

gesprek 1

gesprek 2

3. Vindt u de adviezen duidelijk?

gesprek 1

gesprek 2

Een stapje verder

12 Wat moet ik doen?

Lees de brief. Schrijf een brief terug waarin u advies geeft.

Hallo ...,
Ik werk op een transportbedrijf in Antwerpen. Ik heb het erg naar mijn zin; het werk is leuk en de collega's zijn aardig. Eén collega is zelfs heel leuk. Ik moet veel met haar samenwerken en de laatste tijd merk ik dat ik verliefd op haar aan het worden ben! Nu weet ik niet wat ik moet doen. Ik wil haar graag laten weten wat ik voor haar voel, maar ik ben bang voor haar reactie en ik wil onze samenwerking niet beïnvloeden. Wat moet ik doen?
Max

13 Wat is uw advies?

Werk in tweetallen. U krijgt van uw docent een kaartje met een probleem erop. Lees het kaartje en leg het daarna weg. Vertel uw probleem nu aan de andere cursist en vraag om advies. De andere cursist geeft u advies. Wissel daarna van rol.

14 Wat is uw mening?

Werk in groepjes van 3 personen. Lees de stellingen.
Geef uw mening over de stellingen en reageer op de mening van de andere cursisten.
Gebruik eventueel het schema in les 5 op pagina 51.

Binnenkort doet iedereen boodschappen via het Internet.

Artikelen in roddelbladen hebben altijd een kern van waarheid.

Het Internet is een goed medium om een huwelijkspartner te vinden.

Extra

15 Wat is er op de tv?

Geef antwoord op de vragen. Bespreek de antwoorden in tweetallen.

NEDERLAND 1

7.00 nieuws met gebarentolk NOS * **7.07 ontbijt tv** ochtendmagazine gepresenteerd door Frits Spits (om 7.30 en 8.00 uur onderbroken door nieuws) KRO * **8.30 nieuws** NOS * **8.37 nl net** reportages van publieke regionale omroepen, gepresenteerd door Rob van Burik AKN * **9.00 nieuws** met gebarentolk NOS * **9.09 Nederland in beweging** ochtendgymnastiek gepresenteerd door Olga Commandeur AVRO* **9.29 get the picture** (herhaling) AVRO **9.54 alle dieren tellen mee** h AVRO * **10.18 ook dat nog** h KRO * **11.03 de rijdende rechter** h NCRV * **11.28 tekst tv** NOS * **16.31 heilig vuur** journalistiek programma over levensbeschouwing, gepresenteerd door Heidi Lepema h NCRV * **17.00 nieuws** NOS **17.10** docu **hoogtepunten uit de Europese geschiedenis** Duitse documatairereeks h KRO.

18.00 **er** full moon Saturday night
Amerikaanse ziekenhuisserie met George Clooney, Anthony Edwards, Julianna Margulies e.a. H AVRO
18.56 **man bijt hond**
Informatief programma over actuele dagelijkse gebeurtenissen NCRV
20.00 **nieuws** NOS
20.30 **netwerk**
actua actualiteitenrubriek AVRO
21.00 **tussen kunst en kitsch** AVRO
vanuit het wijnmuseum te Tilburg, presentatie: Kees van Dongen
21.56 **studio sport** NOS
sport Europacup: verslag van de voetbalwedstrijd ajax – ac milaan
23.45 **nabeschouwing voetbalwedstrijd** NOS
00.00 **nachtgedachten**

BELGIË 1

10.00 Donna op tv1 (tot 12.00)
12.35 blokken spelprogramma. (herhaling)
13.00 het journaal en het weer
13.30 hart tegen hard soapserie.
13.50 het journaal (herhaling tot 16.00)
16.50 de dinges des levens 471ste afl. van de Amerikaanse soap days of our lives.
17.35 buren Australische soap.

18.00 **het journaal**
18.40 **koppen**
actua actualiteitenmagazine, gepresenteerd door Dirk Tielemans
19.00 **ticket** toeristisch magazine met Sabine Hagedoren in Maleisie
19.30 **blokken** spelprogramma met Ben Crabbé
20.00 **journaal**
20.40 **man bijt hond** eigen kijk op de actualiteit van de dag. Aansluitend: het weer
21.05 **thuis** 872ste afl. van de Vlaamse soap
Dré moet open kaart spelen over zijn verleden. Florke wil scheiden van Luc. Veronique ontdekt de geheime relatie tussen Werner en Valérie
21.35 **het derde oog**
Docu schatten op de zeebodem: de gezonken duikboot BBC-documentaire over historische scheepswrakken
22.15 **herexamen** quiz waarbij bekende Vlamingen getest worden op hun kennis van de leerstof van het middelbaar onderwijs
23.00 **de leukste eeuw - blijven lachen** Warre Borgmans duikt in de tv-archieven op zoek naar de leukste fragmenten uit de laatste 25 jaar.
23.25 **het journaal laat**
23.45 **man bijt hond** herhaling van 20.10
00.20 **het journaal laat** doorlopende herhalingen (tot 9.00)

Les 7

1. Op beide zenders wordt een documentaire uitgezonden.
   a. Wat is een documentaire?

   ....

   b. Kijkt u graag naar documentaires? Zo ja, over welk onderwerp?

   ....

2. In 'Tussen kunst en kitsch' (Ned. 1, 21.00 uur) kunnen gewone mensen hun kunstbezit laten zien aan een expert. Wat doet de expert, denkt u?

   ....

3. Welke programma's in de gids zou u wel/niet willen zien? Waarom?

   ....

4. Welk type programma wordt ook in uw eigen land uitgezonden?

   ....

Kranten en tijdschriften op het Internet

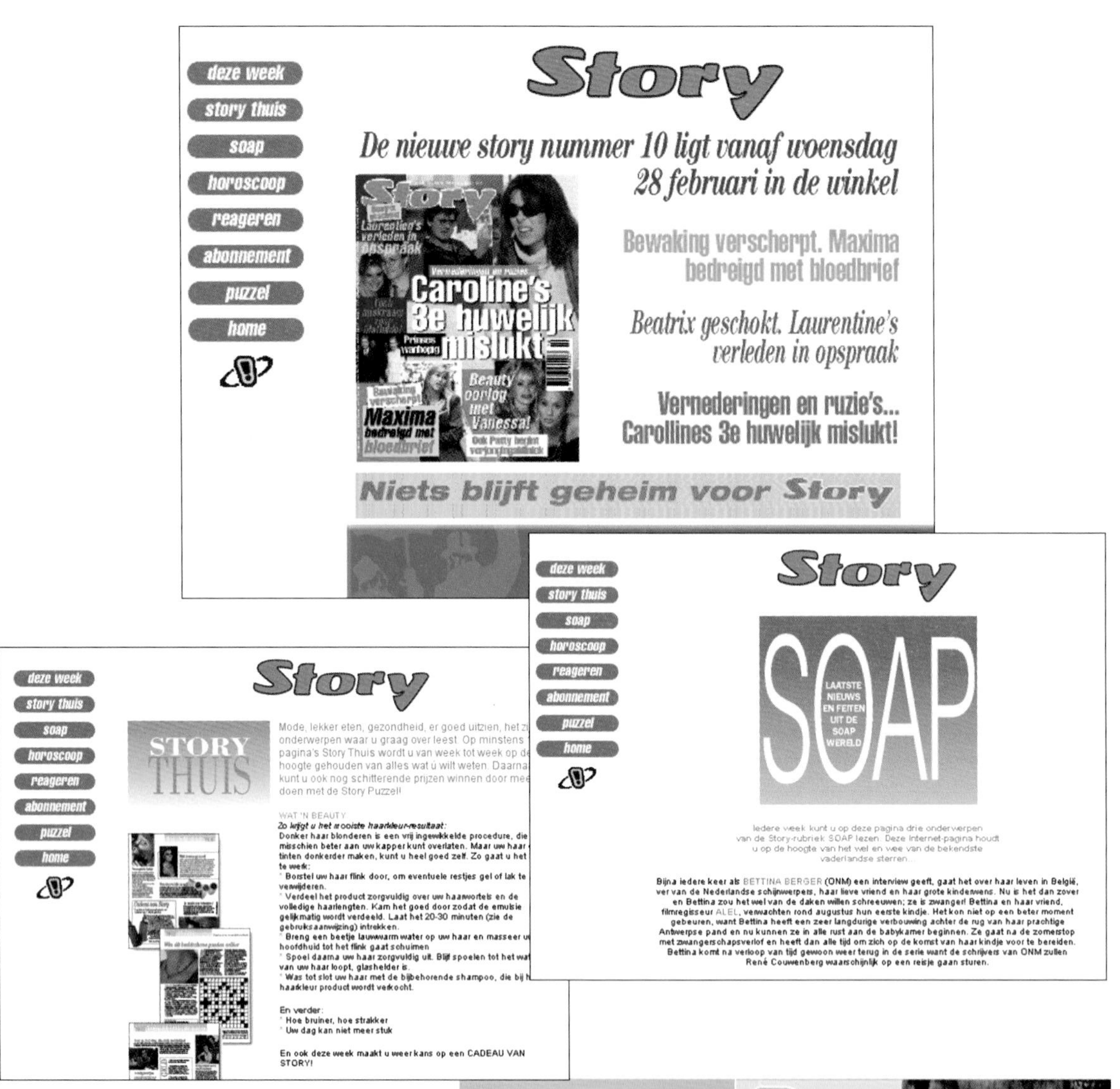

Samenvatting

Grammatica

Om te + infinitief

geeft een doel aan

Ik ga naar school **om te leren**.
Ik werk **om** geld **te verdienen**.

Zou/zouden in advies

Je *zou* eens naar de dokter moeten gaan met die klachten.

Als ik jou was, (dan) *zou* ik een sollicitatiecursus gaan volgen.

Les 7

Idioom

(iets) onder de knie hebben/krijgen
met elkaar om de tafel gaan zitten
de banen liggen voor het oprapen
een brief de deur uit doen
(iets) in de gaten hebben
aan het goede adres zijn
ergens iets van zeggen
(iemand) tegemoet komen

voilá!
hoe pak ik dat aan?
als ik jou was, zou ik ...
eens even kijken

Geen nieuws
is
goed nieuws

De zorgzame samenleving?

Opstap

1 Hoe is dat in uw land?

Bespreek uw antwoorden op de vragen met een medecursist.

a Lees de tekst. Is er in uw land ook sprake van een dergelijke ontwikkeling?

Meer werkende vrouwen

Nog steeds groeit het aantal werkende moeders. Enerzijds werken vooral hoger opgeleide vrouwen vaker door als ze kinderen krijgen. Anderzijds gaan steeds meer thuisblijvers weer aan de slag als hun kinderen ouder zijn geworden.
De oorzaak hiervan ligt in het feminisme. Werkte in 1985 nog maar 30 procent van alle Nederlandse vrouwen, nu is dat 50 procent. Tegenwoordig zien vrouwen het krijgen van kinderen niet meer als een obstakel om een baan te nemen. Ook doordat de mogelijkheden voor kinderopvang de laatste tijd zijn toegenomen, kunnen meer vrouwen een baan nemen.
Wel werken de meeste moeders in deeltijd. Dit verschijnsel leidde de afgelopen vijftien jaar tot een grote toename van het aantal deeltijdbanen en daarmee tot een forse groei van de economie.

Bron: Sociaal en Cultureel Rapport 2000

b Bekijk de tabellen. Hoe is kinderopvang in uw land geregeld?

In Nederland maken 140.000 kinderen gebruik van officieel geregistreerde opvangvoorzieningen. Circa 55.000 kinderen staan op een wachtlijst. De wachttijd verschilt per regio; in de Randstad kan die oplopen tot 2 jaar.

Enkele soorten opvang:

	Omschrijving	Leeftijd kind	Kosten
Kinderdagverblijf	Opvang tijdens werkuren door professionele begeleiders in speciale accommodaties.	0 – 4	Afhankelijk van inkomen ouders
Gastouder	Flexibele kleinschalige opvang thuis bij gastouder die meestal zelf ook kinderen heeft.		€ 2,00 – 5,00 per uur
Oppas	Opvang in de avonduren voornamelijk door scholieren of studenten.		€ 2,00 – 5,00 per uur
Au pair	Opvang in eigen huis door buitenlandse jongere die tijdelijk in Nederland verblijft.		Circa € 400,- per maand
Buitenschoolse opvang	Opvang na schooltijd door gediplomeerde leiders/leidsters.	4 – 12	Afhankelijk van inkomen ouders

Aandacht voor de taal

Wie is toch die man die zich altijd verstopt achter de krant?

Morgen is het vaderdag. Dan denk je even aan je eigen vader. En kom je voor de zoveelste keer tot dezelfde conclusie dat je hem helemaal niet zo goed kent. Lang niet zo goed als je wel had gewild. Niet dat je een slechte vader had. Integendeel. Hij zorgde juist heel goed voor jullie gezin. Zo goed dat je hem bijna nooit zag. Waarschijnlijk was je vader altijd aan het werk. En als hij niet werkte was hij druk. En als hij niet druk was, wilde hij eindelijk eens rust aan zijn hoofd. Veel mannen die nu zo tussen de 35 en 40 zijn, kennen hun vader als een hoofd dat 's avonds om de slaapkamerdeur stak. Als een man die 's ochtends altijd haast had. Of in het weekend, als twee handen aan de krant. Morgen is het vaderdag. En word je wakker gemaakt met croissants uit zo'n blikje. Nu ben jij de vader. Nu ben jij degene die voor de kost zorgt. Nu ben jij degene die de krant leest. Een mooie dag om je af te vragen hoe je kinderen zich hun vader (jou dus) gaan herinneren. En hoeveel plezier jij aan je kinderen beleeft. Hoe meer tijd je met ze besteedt, hoe beter de band met ze wordt. Tijd = band, om het wiskundig uit te drukken. Kinderen vinden het leuk als je voor ze zorgt. Dagelijkse dingen. Dat je weet wie hun juf of meester is. Dat je hun boterhammen smeert. Dat je weet waar hun tafeltje in de klas staat. Dat ze roze sokken dragen omdat jij de was hebt gedaan. Nu is het niet de bedoeling dat je helemaal klem wordt gezet. Dat je én al het geld moet verdienen, én de zorg van de kinderen op je moet nemen. Steeds meer vrouwen werken. Daardoor zijn ook de gezinsstructuren aan het veranderen. Mannen en vrouwen worden samen verantwoordelijk voor het geld. En samen verantwoordelijk voor de zorg van de kinderen. Zodat jij nu de vader kan zijn die je zelf had willen hebben.

Deze tekst is afkomstig uit een campagne van de Stichting Ideële Reclame (SIRE). De stichting brengt actuele maatschappelijke onderwerpen onder de aandacht van de Nederlandse bevolking.

Aandacht voor de taal

2 Wie is toch die man?

Lees de vragen. Lees de tekst 'Wie is toch die man die zich altijd verstopt achter de krant?' en geef antwoord op de vragen.

1. Aan wie is deze tekst gericht?
   - ☐ Aan vaders.
   - ☐ Aan moeders.
   - ☐ Aan vaders en moeders.

2. Met deze tekst wil men duidelijk maken dat
   - ☐ mannen vaker aan hun vader moeten denken.
   - ☐ mannen voortaan voor de kinderen moeten zorgen in plaats van vrouwen.
   - ☐ mannen naast hun werk ook verantwoordelijk zijn voor de zorg van de kinderen.

3 Herschrijf de zinnen.

In de tekst staat een aantal incomplete zinnen. Onderstreep er drie en maak ze compleet.

....

....

....

4 Vul in.

zo .....dat ∷ integendeel ∷ lang niet zo ... als
hoe ....hoe ∷ daardoor ∷ zodat

1. Mannen zorgen .... vaak voor de kinderen .... vrouwen.
2. .... meer je werkt, ... minder tijd je overhoudt voor je gezin.
3. Sommige mannen vinden hun werk .... belangrijk, ... ze vergeten dat ze ook nog kinderen hebben.
4. Steeds meer vrouwen gaan werken. .... kunnen mannen meer tijd aan de kinderen besteden.
5. Niet iedereen heeft bezwaar tegen de traditionele rolverdeling. .... Veel mensen hebben er vrede mee.
6. In veel gezinnen werken de man en de vrouw allebei, ... ze ook allebei voor de kinderen kunnen zorgen.

Een stapje verder

5 Luisteren  20

U gaat luisteren naar vier vaders die hun mening geven over de campagne van SIRE: 'Mannen zijn thuis net zo onmisbaar als op het werk'. Lees de vragen. Luister naar de tekst en geef antwoord op de vragen.

1. Wie heeft een positieve mening over de campagne?

- [ ] Vader Joost.
- [ ] Vader Ad.
- [ ] Vader Harry.
- [ ] Vader Henk.

2. Wie vindt de maatschappij vaderonvriendelijk?

- [ ] Vader Joost.
- [ ] Vader Ad.
- [ ] Vader Harry.
- [ ] Vader Henk.

3. Wie vindt dat SIRE zich niet moet bemoeien met het gezinsleven van Nederlanders?

- [ ] Vader Joost.
- [ ] Vader Ad.
- [ ] Vader Harry.
- [ ] Vader Henk.

4. Wat is uw mening over de campagne? Geef twee argumenten voor uw mening.

....

5. Vindt u de Nederlandse maatschappij/de maatschappij in uw land vaderonvriendelijk? Bedenk een voorbeeld waaruit dat volgens u blijkt. Overleg eventueel met een medecursist.

....

Schrijfplan

Voordat u een tekst gaat schrijven, is het goed om eerst een schrijfplan te maken. Hoe uw schrijfplan eruit ziet is afhankelijk van het type tekst dat u gaat schrijven. Met een schrijfplan bepaalt u de structuur van de tekst. Een schrijfplan bestaat uit een aantal vragen die u in uw tekst beantwoordt. Hieronder ziet u een voorbeeld van een schrijfplan voor een tekst waarin u uw mening geeft.

1. Wat is mijn stelling/mening?
2. Wat zijn mijn argumenten?
3. Zijn er tegenargumenten? Zo ja, welke?
4. Wat is mijn conclusie?

 Schrijven

Maak een schrijfplan en schrijf dan een reactie op de SIRE campagne.

A-Z

'Kom op Jo, zo gaat het niet langer'

Tientallen jaren loop je voor iedereen het vuur uit de sloffen (werk, kinderen, vrienden). En dan word je 65 en zit je ineens thuis. Sta je aan de zijlijn. Hoe kijken senioren naar het leven? Is het nog leuk? Op de koffie bij Jo Teunisse (71) in Amsterdam.

Drinkt koffie 'Om half elf 's morgens.'

Met wie? 'Met een oudere man van twee huizen verderop.'

Gezellig? 'Ach, ik heb een keer gevraagd of hij een bakkie wilde, maar nu komt hij iedere dag. Dat hoeft nou ook weer niet van mij, hè! Maar het is wel goed voor me. Weet u wat het is als je alleen bent, dan blijf je in je bed liggen. Ja, wat moet je eigenlijk op doen, laten we eerlijk wezen. Nu moet ik eruit omdat die man komt. Ik wil dan toch mijn straatje schoonvegen, de ramen doen en mijn koper poetsen voordat ie komt. En ik heb het nu eenmaal aangehaald, nu moet ik het ook volbrengen. Maar soms moet ik naar het ziekenhuis en dan kan hij natuurlijk niet komen. Maar dat begrijpt ie dan ook wel, hoor!'

Vrienden? 'Ik heb geen vrienden. Nooit gehad en voor mij hoeft het ook niet. Ik ben een alleenganger.'

Familie 'Ik heb een zoon. Mijn man is eenentwintig jaar geleden overleden. Hij kreeg een ongeluk. Zijn been was verbrijzeld omdat hij in zo'n betonmixer was gevallen. Later kreeg hij ook last van zijn nieren, daar hadden ze helemaal niet naar gekeken. Ze hadden niet aan de binnenboel gedacht. Toen moest hij aan een kunstnier. Nou ja, toen ging eerst de hond dood. Ik had zo'n klein poedeltje. Die ging dus dood. Toen ging mijn zoon het huis uit en nog geen drie maanden naderhand stierf mijn man.
'Ik had het met m'n man altijd hartstikke druk gehad. Ik viel gewoon in een zwart gat. Ik heb toen een nare tijd gehad. Ik zag het niet meer zitten. Ik lag maar in bed. De buurtjes van hiernaast hebben me er uitgehaald. "Kom op Jo, zo gaat het niet langer", zeiden ze, en zo ben ik er wel overheen gekomen. Mijn moeder ging toen naar zo'n aanleunwoning, daar ben ik toen maar wat gaan schoonmaken. In zo'n tehuis heb je ook zo'n cluppie natuurlijk. Daar ging ik dan maar bij klaverjassen weetuwel, al was ik eigenlijk veel te jong.'

Ouder worden? 'Ik vind er geen pest aan. Wim Sonneveld zei altijd: ouder worden is niet zo erg, maar dat verval. Ik kan niet stilzitten. Ik moet wat te doen hebben en al die gein meer. Dat kan ik niet meer. Vroeger kon ik nog op de fiets naar mijn zoon in Noord. Mijn boodschappies doen op de fiets. Nu staat mijn stalen ros in de schuur. En zo 's zomers, we hebben nu toch een paar knappe dagen gehad, zit ik ook thuis.'

Hekel aan? 'Zondag. Ik vind het een vreselijke dag. Dan kom je je bed uit en dan zit je. Vreselijk vind ik dat. Weet u wat het is, doordeweek heb ik er geen erg in. Dan ga je je boodschappen doen. Kijk, als je op straat loopt dan gaat altijd de portemonnee open, dat mag wel niet eigenlijk, maar dan heb je wat te doen. Op zondag? Nou, daar zit je. Boekie lezen. Ik vind het vreselijk.'

Leuk? 'Ik mag graag puzzelen. Ik ben op het ogenblik aan de Zweedse puzzels. Ik had eerst gewone puzzels. Toen had ik de doorlopers, ja niet die moeilijke hoor. Daar zijn we te stom voor hè. Toen heb ik nog dat van die woordjes die je moet aanstrepen gehad, nou dat is helemaal niks. Maar die Zweedse puzzels vind ik leuk. Je moet een beetje denken. De antwoorden staan wel achterin maar daar kijk ik niet naar. Dan is er geen pest aan natuurlijk.'

Robert van Gijssel

Extra

7 Waar of niet waar?

Lees de zinnen. Lees de tekst op pagina 78 en kruis aan: zijn de zinnen waar of niet waar?

waar / niet waar

1. Jo vindt het leuk dat de buurman elke dag een kopje koffie komt drinken.
2. Als de buurman niet op de koffie zou komen, zou Jo in bed blijven liggen.
3. Na de dood van haar man ging Jo met haar moeder in een aanleunwoning wonen.
4. Jo gaat nog elke dag op de fiets boodschappen doen.
5. Jo geeft alleen geld uit als dat echt nodig is.

8 Kom op, Jo!

a Maak tweetallen. Kunt u de betekenis van deze uitdrukkingen raden?

zich het vuur uit de sloffen lopen
aan de zijlijn staan
het niet (meer) zien zitten
in een zwart gat vallen
ergens overheen komen
geen erg hebben in

b Lees de tekst op pagina 78 nog een keer. Kunt u met behulp van de context de betekenis van deze uitdrukkingen raden? Zoek de betekenis eventueel op in een woordenboek. Onderstreep het kernwoord. Bij dat woord kunt u de betekenis van de uitdrukking in het woordenboek opzoeken.

Nederland – *ander*land

Onderzoek

De verharding van de maatschappij, de vervaging van normen en waarden, de individualisering van de samenleving, en het toenemend geweld op straat zijn ontwikkelingen waar de mensen zich zorgen over maken.
Uit onderzoek blijkt dat 87% van de Nederlandse bevolking vindt dat 'de maatschappij steeds harder, onverschilliger en asocialer wordt'. Maar liefst 94% is het eens met de bewering 'als we ons allemaal een beetje meer inspannen voor een ander, dan zou de samenleving er in Nederland heel wat aangenamer uitzien'.

Matige actiebereidheid

Men maakt zich wel zorgen over deze zaken, maar relatief weinig mensen zijn bereid er ook concreet wat aan te doen. Slechts één op de drie Nederlanders vindt vrijwilligerswerk belangrijk. De SIRE-campagne *'De maatschappij. Dat ben jij.'* wil daar verandering in brengen.

Probleem

Het Nederlandse volk valt uit elkaar, zou je kunnen zeggen.

De maatschappij. Dat

Politieke overtuigingen en het geloof verbinden mensen niet meer als vroeger, verstedelijking maakt de samenleving anoniemer en de welvaart lijkt ons zelfstandiger en onafhankelijker te maken. De enige club waar we nog massaal lid van zijn is de ANWB, maar dat is meer omdat je maar nooit weet wanneer je V-snaar breekt. Wat overblijft zijn 15 miljoen individualisten. Wat de christen-democraat "de zorgzame samenleving" noemt, de sociaal-democraat "solidariteit" en de humanist "humaan gedrag", dat staat op de tocht. Natuurlijk, wij zullen ons eigen gezin met alle zorg omringen maar de samenleving, die keren we de rug toe als dat moet. Alleen thuis voelen we ons veilig; voor de voordeur wacht de boze buitenwereld. "Alle mensen worden broeders", noteerde Beethoven maar we lijken het eerder met Sartre eens te zijn: "De hel, dat zijn de anderen".

Maatschappelijke betrokkenheid

Maatschappelijke betrokkenheid, wat is dat? Dat is rekening houden met de ander in de breedste zin van het woord. Van burenhulp tot onze bijdrage aan de verkeersveiligheid. Van vrijwilligerswerk tot onze belastingmoraal. De maatschappij. Dat ben jij!

Samenvatting

Verbindingswoorden 1

zo ... dat
integendeel
hoe ... hoe
daardoor
zodat

Schrijfplan

1. Wat is mijn stelling/mening?
2. Wat zijn mijn argumenten?
3. Zijn er tegenargumenten? Zo ja, welke?
4. Wat is mijn conclusie?

Idioom

aan de slag gaan
voor de kost zorgen.
zich het vuur uit de sloffen lopen
aan de zijlijn staan
het niet (meer) zien zitten
in een zwart gat vallen
ergens overheen komen
geen erg hebben in

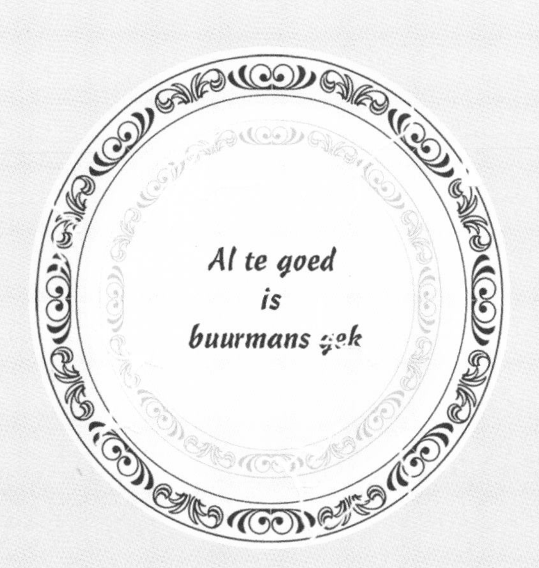

Jong geleerd, oud gedaan

Opstap

1 Interview

a Bedenk vragen over de volgende aspecten:

- leeftijd op eerste schooldag
- gemengde school/jongensschool/meisjesschool
- aantal jaar op de middelbare school
- leuke/minder leuke vakken
- nut/gebruik kennis van de middelbare school
- studie/baan op dit moment

b Stel de vragen aan twee medecursisten. Noteer in het kort de antwoorden.

c Vertel aan de klas wat u te weten bent gekomen.

Aandacht voor de taal

2 Luisteren 21

U gaat luisteren naar een interview met Jan van Zwang, leraar op een middelbare school. Hij is naar de Verenigde Staten geweest om de 'School van de Toekomst' in Californië te bezoeken.

a Waar denkt u aan bij de 'School van de Toekomst'? Noteer drie aspecten. Overleg met een medecursist.

b Lees de zinnen. Luister naar het interview. Zijn de zinnen waar of niet waar?

waar / niet waar

1. In het begin vond Jan de school rommelig.
2. Sinds de oprichting in 1996 is er al veel fout gegaan op de school.
3. Oudere en jongere leerlingen werken met elkaar samen.
4. De school kan niet voldoen aan de eisen die de staat aan het onderwijs stelt.
5. Jan denkt dat het leuk is om naar zo'n school te gaan.

c Wat betekenen de volgende uitdrukkingen?

- een kijkje nemen
- iets in een ander licht zien
- iemand op sleeptouw nemen

Aandacht voor de taal

3 Schoolvakken

(a) De volgende vakken worden op de middelbare school gegeven. Zet ze in het schema.

muziek ⁝⁝ Nederlands ⁝⁝ godsdienst ⁝⁝ biologie
Spaans ⁝⁝ wiskunde ⁝⁝ handvaardigheid ⁝⁝ scheikunde ⁝⁝ aardrijkskunde
Duits ⁝⁝ geschiedenis ⁝⁝ Engels ⁝⁝ Frans ⁝⁝ gymnastiek
tekenen ⁝⁝ economie ⁝⁝ maatschappijleer ⁝⁝ natuurkunde ⁝⁝ verzorging

exacte vakken	talen	creatieve vakken	algemeen vormende vakken	overig

(b) Worden deze vakken in uw land ook gegeven op de middelbare school?

(c) Maak tweetallen. Welke twee vakken vindt u belangrijk en welke twee helemaal niet? Motiveer uw keuze.

➲ *Ik vind ... onbelangrijk, omdat...*
... is wel belangrijk, want...

 Er

Lees het fragment uit de luistertekst.

Interviewer: Jan, wat viel je als eerste op toen je de school binnenstapte?
Jan: Nou, ze hebben **er** een soort kantoortuin, waar leraren en leerlingen van alle leeftijden door elkaar lopen. Ze laten **er** hun spullen slingeren, en ze maken een enorm kabaal... Dat was het eerste wat ik dacht: wat is het hier een zooitje!

(a) Waarnaar verwijst 'er' in dit fragment?

(b) Welk adverbium kan je gebruiken in plaats van 'er'?

Aandacht voor de taal

5 Lezen

Lees de tekst een keer door en beantwoord vraag 1. Lees de tekst daarna nog een keer en beantwoord de rest van de vragen.

Turkse meiden studeren onder glazen stolp

Samen soaps kijken, de bierlijst bijhouden en jaarclubfeestjes bezoeken, in veel 'meidenhuizen' horen ze tot de ongeschreven regels van het studentenleven. Maar niet in Nederlands eerste studentenhuis voor Turkse meisjes. De flat ziet er netjes uit en bezoekers moeten de schoenen in het halletje laten.

Het Turkse 'meidenhuis' opende in maart de deuren op initiatief van de Stichting Educatief Centrum Utrecht (SECU).

'Turkse meisjes groeien vaak beschermd op', legt directeur A. Taskan uit. De drempel om verder te studeren is hoog. Het kan zijn dat de meisjes niet zelfstandig genoeg zijn om op kamers te gaan. Of ouders willen het liever niet, want velen denken dat het bij studeren vooral draait om feesten en drinken.

Het studentenhuis wil een veilige plek bieden, zodat buitenshuis studeren een vanzelfsprekende stap wordt voor Turkse meisjes.'

Ouders moeten studentenhuis gaan zien als veilige plek

De bewoonsters hebben dezelfde achtergrond. Dat maakt het studentenhuis 'veilig', volgens Nigar Simsek (20), tweede jaars studente personeelsmanagement. Haar ouders waren bij een eerste bezoek verbaasd over de vertrouwde huiselijkheid in het studentenhuis.

Daarnaast gelden er enkele duidelijke huisregels.

'Je kunt hier niet zomaar tot 's avonds laat wegblijven', reageert Saadet, vierdejaars studente farmacie. 'Ik zal niet klikken, maar als ouders ernaar vragen vertel ik eerlijk wat er is gebeurd.

We hebben het vertrouwen gekregen van onze ouders, dat willen we niet schenden', zegt Saadet. 'Daardoor gaat het zo goed met het studentenhuis. Bovendien is het project een fenomeen geworden. Alle ogen zijn op ons gericht. Als wij het goed doen, is dat een stimulans voor andere Turkse meisjes die willen studeren.

Als dit project mislukt, kunnen andere Turkse meisjes daar in de toekomst de dupe van worden.' Saadet ligt niet wakker van het studeren onder een glazen stolp. 'Ik zie het juist als een extra motivatie.'

Zelfstandig gebruik van de pluralis
Verwijzing naar personen: +**n**
vele**n**, sommige**n**, enkele**n**

1. Kunt u de titel 'Turkse meiden studeren onder glazen stolp' verklaren?
2. Waarom heeft de SECU een Turks studentenhuis geopend?
3. Noem twee redenen waarom Turkse meisjes vaak thuis blijven wonen.
4. Noem twee dingen die volgens de tekst het Turkse studentenhuis 'veiliger' maken dan andere studentenhuizen.
5. Saadet wil graag dat het goed gaat met het Turkse studentenhuis. Waarom?

Aandacht voor de taal

6 Wat betekent dat?

a Kunt u de betekenis van de volgende woorden en uitdrukkingen raden? Gebruik de context.

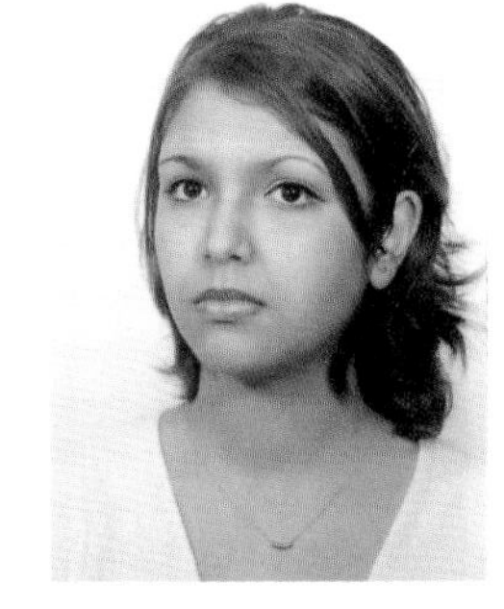

- de drempel is hoog (r. 21-22)
- klikken (r. 51)
- het vertrouwen schenden (r. 56)
- alle ogen zijn gericht op (r. 61-62)
- de dupe worden (van ...) (r. 68-69)
- niet wakker liggen van (r. 69-70)

b Noteer andere woorden uit de tekst die u niet kent. Kunt u de betekenis uit de context afleiden? Overleg met een medecursist.

7 Contrast

Maak tweetallen. Herschrijf de zinnen. Gebruik de woorden tussen haakjes.

1. In het Turkse studentenhuis gelden duidelijke huisregels. Toch is het er erg gezellig.

(ook al)

(hoewel)

2. Saadet wil eigenlijk liever niet klikken, maar meestal vertelt ze wel eerlijk wat er is gebeurd.

(toch)

(terwijl)

3. Saadet is blij met het Turkse studentenhuis, ook al zijn alle ogen op hen gericht.

(hoewel)

(toch)

Een stapje verder

8 Schrijven

Schrijf een korte tekst over uw schooltijd.
Gebruik eventueel de informatie van oefening 1.

9 Discussie

a Lees de stellingen. Formuleer uw mening en bedenk argumenten voor uw mening.

Muziek en Tekenen zijn nuttige schoolvakken.

Het dragen van een schooluniform moet op alle scholen verplicht worden.

b Maak tweetallen. Discussieer over de stellingen.
Gebruik eventueel het schema in de samenvatting van les 5.

Extra

10 Lezen

Lees de vragen. Lees daarna de tekst en geef antwoord op de vragen. Overleg eventueel met een medecursist.

Chaos tussen 12 en 2

De klas heeft snelle en langzame eters. De snelle vervelen zich al snel, maar mogen niet naar buiten omdat daar geen toezicht is. Ze kunnen ook niet aan een aparte tafel, want die is er niet. Wat doe je als overblijfmoeder? Over deze zaken gaat het bij de opleiding Leidster Tussenschoolse Opvang. Nu loopt het tussen de middag vaak uit de hand omdat de groepen te groot zijn, de lokalen niet zijn ingericht op spelende kinderen, er te weinig tijd is om echt iets te doen en de overblijfkrachten niet zijn opgeleid.

De opleiding is vooral heel praktisch. Hoe kleed je de ruimte een beetje leuk aan? Hoe moet dat met handenwassen als de school bang is dat alles nat wordt? Wat als de juf van de kleuterklas vindt dat door jou de kinderen 's middags oververmoeid zijn? Naast kinderspel, en pedagogiek, staan er op het leerprogramma vakken als communicatie met collega's en docenten, ontwikkelingspsychologie en kinder-EHBO.

1. De tekst gaat over de opleiding Leidster Tussenschoolse Opvang. Welke twee synoniemen voor Leidster Tussenschoolse Opvang worden in de tekst gebruikt?
2. In Nederland blijven kinderen tussen de middag steeds vaker over. Hoe komt dat, volgens u?
3. Blijven kinderen in uw land ook vaak over?
4. Vindt u het belangrijk dat er een opleiding is voor de functie van Leidster Tussenschoolse Opvang? Waarom (niet)?
5. Bedenk een andere titel voor de tekst.

Het Nederlandse onderwijssysteem

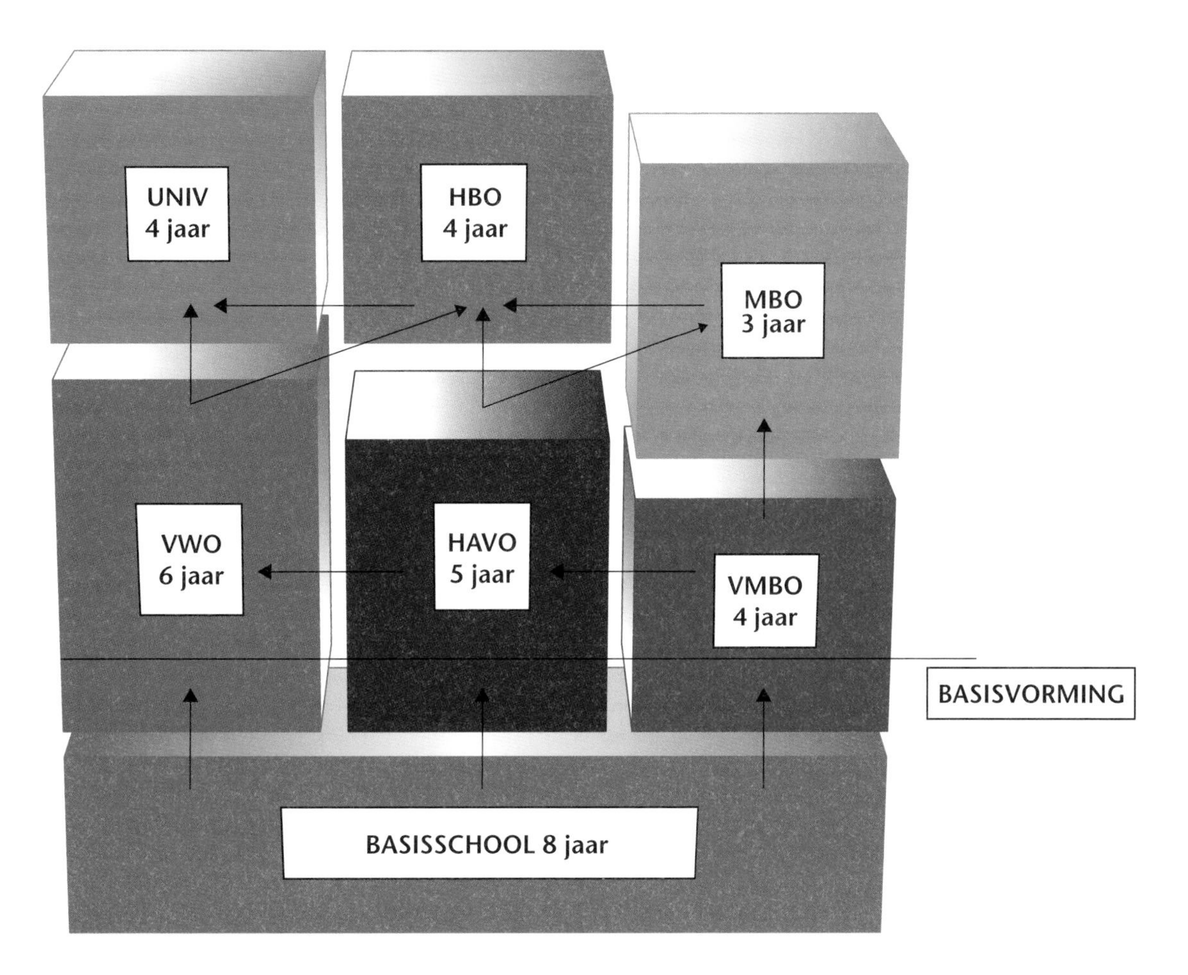

In Nederland zijn alle kinderen tot zestien jaar leerplichtig, dat wil zeggen: ze moeten naar school, dat is verplicht. Op de basisschool zijn schoolboeken en andere leermiddelen gratis. In het voortgezet onderwijs is dit niet meer het geval. Ouders moeten dan alles zelf betalen, zoals boeken, een schooltas of een abonnement op trein of bus. Wanneer het kind aan het begin van het schooljaar zestien jaar of ouder is, moet er bovendien lesgeld betaald worden.

Het voortgezet onderwijs begint op elk niveau met de Basisvorming. Daarna kan de leerling kiezen voor een beroepsopleiding (het vmbo) of doorgaan met algemeen vormend onderwijs (havo/vwo). Na vmbo, havo of vwo kan men doorstromen naar een vervolgstudie in het middelbaar of hoger beroepsonderwijs of het wetenschappelijk onderwijs. De overheid geeft iedere student een studiebeurs voor gemiddeld vier jaar. Daarna kan de student geld lenen van de overheid of zijn/haar studie verder zelf betalen.

vmbo = voorbereidend middelbaar beroepsonderwijs
havo = hoger algemeen voortgezet onderwijs
vwo = voorbereidend wetenschappelijk onderwijs

mbo = middelbaar beroepsonderwijs
hbo = hoger beroepsonderwijs
wo = wetenschappelijk onderwijs

Samenvatting

Grammatica

'er'

- vervangt locatie
  In de Verenigde Staten staat de 'School van de Toekomst'.
  Jan ging **er** (= in de school van de toekomst) een kijkje nemen.

Verbindingswoorden 2

ook al	terwijl
hoewel	toch

Zelfstandig gebruik van de pluralis

Verwijzing naar personen: +**n**
vele**n**, sommige**n**, enkele**n**

Idioom

een kijkje nemen
iets in een ander licht zien
iemand op sleeptouw nemen
de drempel is hoog
de deuren openen
op kamers gaan
het draait (vooral) om
alle ogen zijn gericht op
niet wakker liggen van
de dupe worden (van)
iets in een ander licht zien
iemand op sleeptouw nemen
het gaat over
uit de hand lopen
(niet) ingericht zijn op

Je bent nooit te oud
om te leren

Ik zie, ik zie wat jij niet ziet ...

Opstap

1 Waar vind je dat?

centrum

woonwijk

bedrijventerrein

platteland

	in het centrum	in een woonwijk	op een bedrijventerrein	op het platteland
kantoorpand				
parkeergarage				
gracht				
weiland				
bushalte				
politiebureau				
eenrichtingsverkeer				
steegje				
monument				
metro				
laan				
loods				
sloot				
dorp				
voetgangersgebied				
plantsoen				
akker				
dijk				
bos				
drempels				
fabriekshal				
parkeerterrein				
winkelcentrum				
onverharde weg				
kleuterschool				
winkelstraat				
voortuin				
gemeentehuis				
tram				
boerderij				
woonerf				

2 Welke woorden horen er nog meer bij?

Bedenk bij elke categorie nog enkele woorden.

Aandacht voor de taal

3 Luisteren

U gaat luisteren naar Germaine Groenier. Ze heeft een woonboot. Ze beschrijft wat ze ziet als ze uit het raam kijkt.

Lees de vragen. Luister naar de tekst en kruis het juiste antwoord aan.

1. Wat is opvallend aan het uitzicht van Germaine?
   a) De Amstel die 's morgens vroeg erg stil is.
   b) De mensen die over de Amstel roeien.

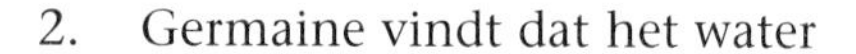

2. Germaine vindt dat het water
   a) nooit hetzelfde is.
   b) alleen 's avonds mooi is.

3. Wat gebeurt er als het mooi weer wordt?
   a) Dan hebben de bootbewoners weinig contact met elkaar.
   b) Dan komen de bootbewoners naar buiten om te klussen.

4. Wat gebeurde er op een avond tegen donker?
   a) Er klopte iemand aan.
   b) Er klom iemand op de woonboot.

5. Wat was er met de man aan de hand?
   a) Hij was moe van het zwemmen.
   b) Hij had een ongeluk gehad met zijn boot.

6. Wat heeft Germaine gedaan?
   a) Zij heeft de man geholpen.
   b) Zij heeft de politie gebeld.

Aandacht voor de taal

4 Spreektaal

In spreektaal gebruikt men vaak woorden die geen echte betekenis hebben, maar die het verhaal bijvoorbeeld versterken, verzwakken of op een andere manier nuanceren.

Lees de volgende zinnen. Onderstreep de woorden die geen echte betekenis hebben.

1. Hij was omgeslagen met zijn boot. Toen heb ik hem maar wat droge kleren gegeven.
2. Nou, het is eigenlijk fantastisch om op het water te wonen.
3. Ik stond voor het raam en ik keek naar buiten, maar goed, ik sta daar dus en toen zag ik ineens om zo'n balk, zag ik een hand die een balk vastpakt.
4. Ach, hij was op zich aardig, hoor!
5. Ik was dus echt wel geschrokken, he!
6. Zeg, die roeier, was die overvaren door een plezierboot?

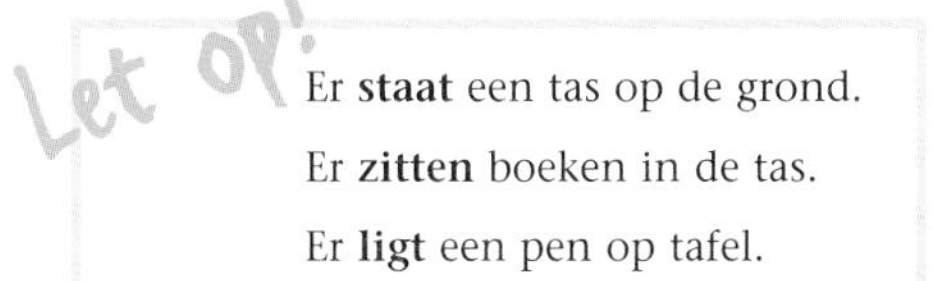

Let op!
Er **staat** een tas op de grond.
Er **zitten** boeken in de tas.
Er **ligt** een pen op tafel.

5 Kijk eens om je heen.

Noteer wat u op dit moment om u heen ziet.

aan de linkerkant

rechts van

in de verte

vlakbij

recht tegenover

schuin tegenover

recht achter

schuin achter

aan de overkant (van)

onder

Let op!
Er + onbepaald subject
Er staat een stoel achter me.
Achter me staat (er) een stoel.

Aandacht voor de taal

6 Verhalen vertellen

a Zet de werkwoorden in de juiste vorm.

"Ik heb eens gehad, dat was echt erg, ik was toen aan het hardlopen in het park, ik kwam net een bocht om joggen. Maar er .... (komen) ook iemand van de andere kant, dus we .... (botsen) keihard tegen elkaar op. Ik .... (vallen) zelfs op de grond! Maar ja, zoiets kan gebeuren, dus we .... (zeggen) 'sorry' en .... (gaan) verder. Dus ik .... (rennen)
5 verder, maar ineens .... (krijgen) ik in de gaten dat ik mijn portemonnee .... (missen)! Het .... (zijn) gewoon een truc geweest van die vent. Maar ik niet te flauw, ik erachteraan hè. Ik .... (kunnen) hem nog inhalen, ik .... (grijpen) hem vast en .... (zeggen): Geef op die portemonnee! Of ik sla je in elkaar!" Hij .... (schrikken) zich een ongeluk en .... (geven) hem gelukkig direct, waarna hij ervandoor .... (gaan). Nou, ik naar huis. Ik ....
10 (zijn) natuurlijk best trots op mezelf. Ik .... (hebben) toch mooi mijn portemonnee terug. Tot ik thuis .... (komen): .... (liggen) mijn portemonnee daar, op de salontafel. Ik .... (kunnen) echt wel door de grond zakken!"

b Waarom wordt in regel 7-8 het presens (geef, sla) gebruikt?
Overleg met een medecursist.

Let op!

Imperfectum in verhalen/anekdotes
Moet je horen: ik **was** gisteren in de bioscoop en toen **kwam** er een man die **zei** dat...

7 Eén voor één

a Zet de volgende zinnen in de juiste volgorde.

1. Opeens zie ik om zo'n balk, zie ik een hand, die een balk vastpakt. En ik dacht: "Ik zit midden in een horrorfilm!"
2. Nou ja, zo kan je veel verschillende dingen meemaken op het water, heel veel.
3. En wat bleek: het was een roeier. Die was overvaren door een plezierboot – want plezierjachtjes komen hier natuurlijk ook heel veel langs.
4. Toen was het 's avonds; 't was tegen donker en er werd uiteraard – werd er ehh ... geroeid. En ik zat aan tafel, ik zat te lezen.
5. Ik heb één keer – dat was heel raar ...

b Kijk nog eens naar het verhaal van oefening 6. Vul onderstaand schema met zinnen uit oefening 6.

Voorbereiding	
Achtergrondinformatie	
Vertelfase	
Afsluiting	
Commentaar	

Een stapje verder

8 Ik zie, ik zie...

Maak tweetallen. Vertel wat u ziet als u thuis uit het raam kijkt.
Geef een beschrijving van bijvoorbeeld:

- de gebouwen
- het verkeer
- bomen en planten
- ...

➩ *Als ik aan de voorkant uit het raam kijk, zie ik ...*
Aan de achterkant kijk ik uit op ...

Les 10

9 Vertel eens!

a Hebt u de laatste tijd iets leuks meegemaakt? Noteer het verhaal in steekwoorden.

Waarom ...? Wat ...? Hoeveel ...?

Welk(e) ...? Hoe lang ...? Waarvandaan ...? Hoe ...?

Wie ...? Wat voor(een) ...? Waar ...? Wanneer ...?

b Maak groepjes van drie. Een cursist vertelt kort zijn verhaal. De twee andere cursisten kunnen vragen stellen. Wissel van rol.

Extra

10 Een spreekbeurt

U gaat een spreekbeurt van circa vijf minuten houden. Kies een van de volgende onderwerpen:

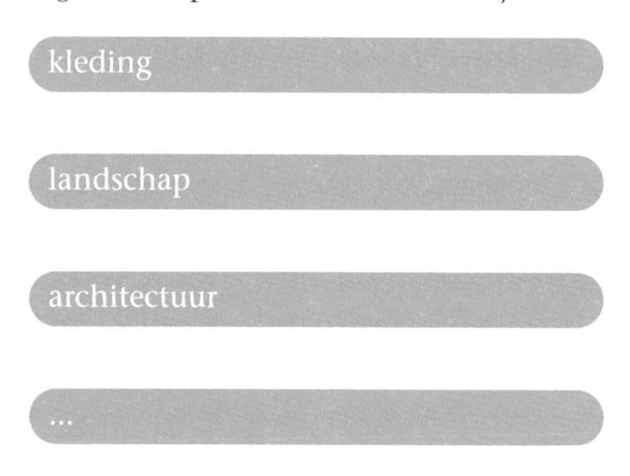

In uw spreekbeurt maakt u een vergelijking tussen Nederland en uw eigen land.
Gebruik het schema om uw spreekbeurt voor te bereiden.

inleiding	korte introductie van het onderwerp
kern	beschrijving van overeenkomsten en verschillen ▸ ten eerste, ten tweede, tenslotte ▸ in de eerste plaats, in de tweede plaats/verder/daarnaast/ bovendien
slot	mening, conclusie ▸ ik vind (dat) ... /naar mijn mening

DE STRIJD TEGEN HET WATER

In 1953 gebeurde er een nationale ramp in Nederland. Het was noodweer; springvloed en een enorme storm. Daardoor braken de dijken in Zeeland door. Het natuurgeweld raasde over een hulpeloos land. Veel mensen en dieren gingen dood, landbouwgrond werd onbruikbaar door het zoute water en gebouwen stortten in. Er kwam hulp, maar veel te laat...

Na de stormvloed zeiden de Zeeuwen: 'Dit mag nooit meer gebeuren.' Men bedacht een geniaal plan: het Deltaplan. De 4 grote zeegaten in Zeeland wilde men voor de zee afsluiten met dammen. Door sluizen in de dammen bleven de zeegaten toch in contact met de zee. Ingenieurs, technici, milieudeskundigen, economen, planologen en vele andere specialisten werkten jarenlang samen om dit 'achtste wereldwonder' te bedenken en te bouwen. Sindsdien is het land veilig voor het water.

Samenvatting

Grammatica

Syntaxis

De plaats van de prepositiewoordgroep in de zin

Ik zie een plantsoen **aan de achterkant** van mijn huis.
Ik zie **aan de achterkant** van mijn huis een plantsoen.
Aan de achterkant van mijn huis zie ik een plantsoen.

Imperfectum

In verhalen/anekdotes

Moet je horen: ik **was** gisteren in de bioscoop en toen **kwam** er een man naast me zitten.
Hij **zei** ...

Beschrijven: er + onbepaald subject

Er staat een kerk in onze straat.
Soms ligt er hondenpoep op de stoep.

Staan/liggen/zitten

Er **staat** melk in de koelkast.
Er **ligt** een brief op tafel.
De sleutels **zitten** in mijn jaszak.

Idioom

Ik heb een keer gehad, ...
Dat kan gebeuren.
Ik kon wel door de grond zakken!

Wie wind zaait
zal storm oogsten

Woningwaardering: puntensysteem

Onderdeel van de woning	*Aantal punten*	*uw huis*
Oppervlakte van woonruimten Woonruimten zijn: woonkamer, andere kamers, (open)keuken, badkamer, doucheruimte Nb: Zolders tellen alleen als woonruimte als er een vaste trap naartoe gaat.	1 punt per m^2	....
	Totaal:	....
Oppervlakte van overige ruimten Overige ruimten zijn: bijkeuken, berging, schuur, garage, kelder en zolder. Gangen en hallen krijgen geen punten. * Het totale oppervlak moet u afronden op hele vierkante meters	3/4 punt per m^2	....
	Totaal:	....
Verwarming per verwarmd vertrek:	2 punten	....
	Totaal:	....
Privé c.v.ketel in de woning	3 punten	
Privé hoog-rendements c.v.ketel	5 punten	
	Totaal:	....
Isolatie		
Raamisolatie (per m^2)	0,5 punt	
Vloerisolatie (per woning)	2 punten	
Dakisolatie (per woning)	2 punten	
	Totaal:	....
Keuken Lengte aanrecht:		
minder dan 1 meter	0 punten	
1 tot 2 meter	4 punten	
2 meter en langer	7 punten	
	Totaal:	....
Sanitair		
Wastafel	1 punten	
Toilet	3 punten	
Douche	4 punten	
Bad	6 punten	
	Totaal:	....
Aftrek voor veroudering 0,4 punt per jaar vanaf het 6e jaar gerekend.	Aftrekken: **Max. 30 punten**	
	Totaal:	....
Privé buitenruimte: totale oppervlakte Buitenruimte is: tuin, terras, balkon, enz.	Bijtellen: **Max. 15 punten**	
tot 25 m^2	2 punten	
25 tot 50 m^2	4 punten	
50 tot 75 m^2	6 punten	
75 tot 100 m^2	8 punten	
100 m^2 en meer	10 tot 15 punten	
indien er geen privé buitenruimte is:	5 pt. **aftrekken**	
	Totaal:	....

Extra

Woonvorm

Eengezinswoningen:

tussenwoning/hoekwoning	12 punten
vrijstaande woning	17 punten
twee-onder-een-kapwoning	15 punten
	Totaal: ....

Woningen in etagewoningen, flats:	met lift:	zonder lift:
begane grond	6 punten	6 punten
1e verdieping	5 punten	3 punten
2e verdieping	4 punten	1 punt
3e verdieping	4 punten	0 punten
4e verdieping en hoger	4 punten	0 punten
		Totaal: ....

Duplex:

bovenwoning	1 punt
benedenwoning	4 punten
	Totaal: ....

Woonomgeving	Max. 25 punten
Aanwezigheid (in directe omgeving) van:	
scholen	5 punten
winkels	5 punten
parkeergelegenheid	5 punten
parkjes	5 punten
speelruimte	5 punten
haltes van het openbaar vervoer	5 punten
recreatiemogelijkheden	5 punten
uitgaansmogelijkheden	5 punten
	Totaal: ....

Vervelende situaties	**Aftrekken**: Max. 20 punten
Aanwezigheid (in directe omgeving) van:	
geluidsoverlast door weg-, trein- of vliegverkeer,	8 punten
verval van de buurt	5 punten
stadsvernieuwingsactiviteiten	5 punten
bodem- of luchtverontreiniging	10 punten
	Totaal: ....

De maximale huurprijs

Met het puntensysteem berekent u hoeveel punten uw woning krijgt.

De huurprijs per punt is **€ 3,85 voor de eerste 80 punten** en **€ 4,25 voor alle punten boven 80.**
Dus: De eerste 80 punten die uw woning krijgt, vermenigvuldigt u met € 3, 85.
Alle punten boven de 80, vermenigvuldigt u met € 4,25.

De maximale huurprijs voor uw woning is de som van deze 2 bedragen.

* = wens   + = klacht   ! = eis

Persoon	Huis	Relatie	Werk
Jan	+ lekkage		+ te druk
Marieke		! trouwe partner	
Caroline	*in stad		* carrière maken

Alfabetische woordenlijst

De verba met een * zijn onregelmatig. De vetgedrukte woorden staan in P. de Kleijn en E. Nieuwborg, *Basiswoordenboek Nederlands*, Wolters Leuven, 1996. De cijfers achter de woorden verwijzen naar de pagina waarop ze het eerst voorkomen.

A

aan de praat houden* 10
aan de slag gaan* 74
aan de zijlijn staan* 78
aanbieden* 10
aangenaam 26
aanhalen 78
de aanhef 29
aankleden 88
aankloppen 92
de aanleunwoning 79
aannemen* 27
aanraden 15
het aanrecht 99
aansnijden* 8
aanspreken* 12
aanstrepen 78
aantonen 68
de aanwezigheid 100
het **aanzien** 26
aardrijkskunde 84
het abonnement 72
achter de computer zitten* 32
achteraf 8
de actiebereidheid 80
actueel 50
de adjunct-directeur 19
de administratie 30
het adviesorgaan 50
adviseren 32
afchecken 10
afgestudeerd 67
de aflossing 50
de afname 50
afnemen* 57
afronden 99
afsluiten* 24
de afsluiting 29
afstandelijk 12
afstemmen (op) 50
afstuderen 32
de aftrek 99
aftrekken* 99
afwijzen* 22
afwisselend 26
de akker 91
alle ogen zijn* gericht op 85
de alleenganger 78
allemachtig 10
allerlei 19
alvast 42
ambitieus 30
anno 46
anoniem 80
het antiek 19
de antropoloog 24
het antwoordapparaat 19
apart 88
het apenstaartje 65
de appelboom 39
het arbeidsbureau 68
armoedig 10
arrogant 57
asociaal 80
het aspect 82
de avondwinkel 11

B

babbelen 10
de babykamer 72
het bakje 10
het bakkie 78
de balk 93
de **band** 75
het bankstel 59
de basisschool 32
de basisvorming 89
beargumenteerd 22
de **bedoeling** 75
bedreigd 72
het bedrijventerrein 91
beëindigen 37
het beeldscherm 65
de begane grond 100
de begeleider 74
het begrotingstekort 50
de beheersing 50
de **behoefte** 20
behulpzaam 57
beïnvloeden 59
de bejaarde 39
de belangengroep 50
de **belasting** 50
de belastingdruk 50
de belastingmoraal 80
beleven 39
benauwd 10
de bende 10
de benedenwoning 100
bepalen 60
bereikbaar zijn* 18
berekenen 100
de **berg** 58
bergbeklimmen* 21
de berging 99
het **bericht** 19
de beroepsbevolking 34
de beroepsgroep 30
het beroepsonderwijs 89
de beroepsopleiding 89
beschermd 85
de **beslissing** 50
het bestand 65
de bestemming 21
bestrijden* 68
de betonmixer 78
de betrokkenheid 80
de **beurs** 59
de bewaking 72
de bewering 80
bewust 32
de bezigheid 9
bezoeken* 83
bezwaar hebben* (tegen) 46
bieden* 85
de bierbrouwerij 24
de bierlijst 85
bij dezen 28
bijbehorend 72
bijbrengen* 32
de **bijdrage** 80
de bijeenkomst 59
de bijkeuken 99
de bijlage 28
bijtellen 99
de binnenboel 78
binnenlands 50
binnenstappen 84
biologie 84
de bloedbrief 72
de bloemlezing 12
blonderen 72
de bocht 94
de bodemverontreiniging 100

Alfabetische woordenlijst

Alfabetische woordenlijst

F
de fabriekshal 91
de fanatiekeling 21
de fantasie 20
de farmacie 85
fatsoenlijk 12
feesten 85
het **feit** 72
het feminisme 74
het fenomeen 85
de fietstas 21
de financiën 50
het financieringstekort 50
fitnessen 16
flaneren 19
flauw 94
fors 74
het fragment 71
Franstalig 56
de/het fris 10
functioneren 46
fungeren 50

G
de gasrekening 59
de gastouder 74
gastvrij 30
het **gat** 10
geacht 28
de gebarentolk 71
het **gebied** 50
de geborgenheid 24
de gebruiksaanwijzing 72
geconfronteerd worden* met 24
gedateerd 10
gediplomeerd 74
het gedoe 10
het **gedrag** 80
geduldig 30
geestelijk 68
gehaast 21
geheim 71
het geheugen 65
gehoor geven* aan 18
de gehorigheid 68
de gein 78
het geklets 11
de gel 72
gelden* 45
gelijkmatig 72
het **geloof** 80
de geluidsoverlast 68
het gemeentehuis 91
gemiddeld 89
geniaal 97
de geografie 58
geografisch 55
geregistreerd 74
gericht 32
de **geschiedenis** 46
geschokt 72
geslaagd zijn* 32
het gesnater 10
het gespreksonderwerp 8
de gesprekspartner 7
de gesprekstechniek 68
gesubsidieerd 74
het **geweld** 48
gewenst 50
de gezinssamenstelling 42
de gezinsstructuur 75
de gezondheidszorg 30
gierig 54
glashelder 72
de glazen stolp 85
godsdienst 84
de Gouden Eeuw 15
de grasdakwoning 43
grenzen aftasten 32
groene vingers hebben* 39
groenten verbouwen 39
de groepsleerkracht 32
de **grond** 39
GSM = Global System for Mobile communication 12
het gsm'tje 12
gunstig 55
gymnastiek 84

H
de haarkleur 72
de haarlengte 72
de haarwortel 72
haast hebben* 75
de hal 99
het halletje 85
de halsbandparkiet 59
de halte 100
de **handel** 57
het handelsverkeer 59
handenwassen 88
handvaardigheid 84
hangen* 10
het hartje 19
hartstikke 39
de haven 19
de havo 32
hebbes 10
de hel 80
helaas 18
heleboel 60
helpen* 92
herinneren aan 24
de herrie 67
herschrijven* 86
herzien* 46
het draait (vooral) om 85
het gaat* over 88
het huis uitgaan* 78
het maakt geen bal uit 10
het naar je zin hebben* 39
het niet (meer) zien* zitten 79
het punt van discussie 42
het stalen ros 78
het wel en wee 72
hierbij 18
hip 60
de hoekwoning 100
de hondenbezitter 49
de hondenpoep 49
de hoofdhuid 72
de hoog-rendements c.v.ketel 99
hoogachtend 28
hopen 21
de horeca 30
de horrorfilm 94
de housewarmingparty 16
de hts 32
de huisarts 67
de huiselijkheid 85
de huisregel 85
het huizentype 42
hulpeloos 97
hulpvaardig 30
humaan 80
de humanist 80
het huurhuis 36
de huurprijs 41
de huwelijkspartner 48

I
iemand een dienst bewijzen* 46
iemand op sleeptouw nemen* 83

Alfabetische woordenlijst

Alfabetische woordenlijst

Alfabetische woordenlijst

Alfabetische woordenlijst

Alfabetische woordenlijst

Bronvermelding

p. 0 © Intermap bv., Enschede
p. 6 Foto's: (1) S. van Keulen, (2) Julia de Vries, (3) Foto Huber, Radolfzell
p. 9 Foto's: © Gerd Pfeifer, München
p. 10 Tekst: Wim de Bie, © Uitgeverij De Harmonie, Amsterdam
p. 12 Teksten: (1) De Gelderlander 27/01/2001, (2) de Volkskrant 03/11/2000; foto: Mathilde Kroon
p. 14 Foto's: (2, 3, 4, 5) NBT, Köln, (1, 6) Jan Balsma
p. 15 Kaart: NBT, Köln; foto's: (1, 3) Becker/Braunert, Radolfzell, (2) Foto Huber, Radolfzell
p. 16 Foto: © Mauritius (AGE)
p. 17 Foto's: (1) MHV-Archiv, (2) Mathilde Kroon
p. 19 Foto: © Mauritius (AGE)
p. 20-21 Tekst en illustraties: Libelle, © VNU tijdschriften b.v., Haarlem
p. 23 Illustratie: Ganzenbordspel, Play time, Rotterdam
p. 24 Tekst: gebaseerd op p. 42 uit *Typisch Nederlands*, Herman Vuijsje en Jos van der Lans, 1999, © Uitgeverij Contact, Amsterdam; foto: Mathilde Kroon
p. 31 Foto: Julia de Vries
p. 32 Tekst: gebaseerd op tekst uit de Volkskrant 23/09/2000
p. 33 Illustraties: Arbeidsbureau
p. 34 Centraal Bureau voor de Statistiek, Voorburg/Heerlen, gebaseerd op tabel: Werkzame beroepsbevolking van 15-64 jaar naar geslacht, leeftijd en bedrijfsklasse, 1999
p. 36 Foto's: (1) Mathilde Kroon, (2) Jan Balsma, (3) Mathilde Kroon, (4) Jan Balsma
p. 37 Foto: Julia de Vries
p. 38 Foto: Mathilde Kroon
p. 39 Foto: Mathilde Kroon
p. 41 Foto's: Julia de Vries
p. 42 Foto: Julia de Vries; tekst: gebaseerd op tekst *Vinex* uit de Volkskrant 12/09/2000
p. 43 Foto's: (1) woningcorporatie Stadswonen, Rotterdam, (2) B. Ruizeveld de Winter, DSV Rotterdam, (3) Mathilde Kroon, (4) Michel Post, Het Groene Dak, Utrecht, (5) Jan Balsma
p. 45 Illustratie: Bas van Lier, *Politiek-boek*, 1998, pag. 19, © Uitgeverij Ploegsma BV, Amsterdam
p. 46 Foto's: Becker/Braunert, Radolfzell
p. 49 Foto: Mathilde Kroon
p. 52-53 Foto's: NBT, Köln
p. 54 Luistertekst: © Vlaamse Radio- en Televisieomroep, Brussel; foto: ANP, Den Haag
p. 55 Foto: MHV-Archiv
p. 56 Foto: ANP, Den Haag
p. 57 Tekst: de Volkskrant 29/11/2000
p. 58 Foto's: (1) Stad Antwerpen, (2) NBT, Köln
p. 59 Foto: Mathilde Kroon; tekst: de Volkskrant 27/11/2000
p. 61 Foto's: NBT, Köln
p. 64 Foto: Jan Balsma; illustratie: W. Poll, Vaterstetten
p. 66 Tekst: Ronald de Waal, Hilversum
p. 67 Foto: © Mauritius (AGE)
p. 69 Foto: © Mauritius (nonstock)
p. 72 Illustraties: (1, 2, 3) website Story, (4) website Telegraaf, (5) website Privé
p. 74 Tekst: de Volkskrant 23/09/2000; tabellen: *www.nrc.nl*
p. 75 Tekst en foto: © SIRE, Stichting Ideële Reclame, Amstelveen
p. 77 Foto: Marjan Olthof
p. 78 Tekst: de Volkskrant 12/09/2000
p. 79 Foto: Benelux Press, Voorburg
p. 82 Foto: ANP, Den Haag
p. 83 Foto: Julia de Vries

Bronvermelding

p. 85 Tekst: de Volkskrant, voorjaar 2000
p. 86 Foto: archief Dilek Ar
p. 87 Foto: archief Edith Schouten
p. 91 Foto's: (1, 2) Jan Balsma, (3) Julia de Vries, (4) NBT, Köln
p. 95 Foto's: NBT, Köln
p. 96 Foto's: (1, 2, 5, 6, 7, 8) NBT, Köln, (3, 4) Jan Balsma
p. 97 Foto: WaterLand Neeltje Jans, Burgh-Haamstede; tekst: gebaseerd op tekst van website over Deltawerken: *http://library.thinkquest.org/19846*

Tekeningen:
p. 7, 8, 11, 16, 22 (2), 26, 31 (2), 41, 47, 60, 63, 70: Ofczarek! Köln
p. 22 (1), 31 (1), 38, 64, 92, 93: Katja Gerhmann, Hamburg